JESUS EN NUESTRAS VIDAS -HOY

JESÚS EN NUESTRAS VIDAS -HOY

JUAN CARLOS ORTIZ

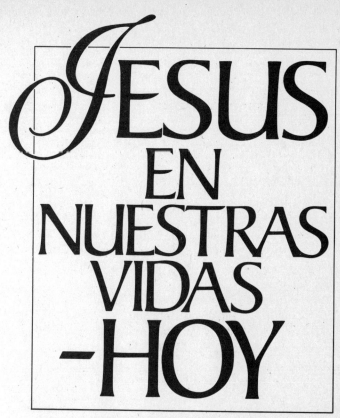

EDITORIAL BETANIA

Versión castellana:
Juan Sánchez Araujo

Copyright © 1987 por la Editorial Betania
Calle 13 S.O. 824, Caparra Terrace
Puerto Rico 00921

Correspondencia:
Editorial Betania
5541 N.W. 82nd Ave.
Miami, FL 33166 E.U.A.

Publicado originalmente en inglés con el título de
LIVING WITH JESUS TODAY
Copyright © 1982 por Juan Carlos Ortiz
Publicado por Creation House,
Carol Stream, IL 60187 E.U.A.

ISBN 0–88113–157–1

Dedicatoria

Este libro está dedicado a mi esposa Marta, sin cuyo estímulo no hubiera podido aparecer.

Quiero expresar también mi sincero agradecimiento a David Ord por su ayuda en la preparación del manuscrito.

Otros libros del mismo autor

Discípulo: El primero de la famosa serie de Juan Carlos Ortiz. Un libro que establece a su autor como alguien con un mensaje de Dios. Está ya en su décimotercera edición en lengua inglesa, y ha sido publicado en diez idiomas.

Cry of the Human Heart (El clamor del corazón humano): Segundo de la serie, y un paso más en esta perspicaz exposición de la vida del hombre y de la voluntad del Espíritu Santo. Cinco ediciones, y publicado en seis idiomas.

Indice

"Necesitamos saber,
sin ningún género de dudas,
que tenemos en nuestro interior
todos los recursos
de Aquel que
sostiene el universo".

Juan Carlos Ortiz

Capítulo 1

LA ETERNA INFANCIA DEL CREYENTE

Hoy tenemos un fenómeno en la iglesia al que yo llamo "la eterna infancia del creyente".

En nuestras congregaciones hay miembros que tras años de escuchar mensajes, son exactamente los mismos y necesitan de continuo el cuidado de un ministro: para cambiarles los pañales, ponerles polvos de talco, y comprobar que su leche no esté demasiado caliente. La iglesia se parece mucho más a un hospital que a un ejército.

Algunas veces nos engañamos a nosotros mismos porque crecemos numéricamente; y pensamos que en eso consiste el crecimiento. Pero el aumentar en cantidad no es crecer espiritualmente —también los cementerios lo hacen—. El tener cien personas sin amor, y luego doscientas, no es otra cosa que engordar.

A menudo vemos la situación, pero no sabemos qué hacer: "Deberían llevar fruto para Jesús; deberían estar experimentando las virtudes de Dios; deberían tener más amor, más paz. . .". Pero no podemos esperar tales cualidades de los bebés; éstas sólo se encuentran en las personas adultas.

Esa era la queja de Pablo al observar la falta de crecimiento espiritual que había en la iglesia de Corinto. "Todavía sois bebés" —les decía el apóstol.

A los gálatas les escribió que tenía que pasar otra vez por los dolores de parto por ellos.

Y mientras aquellos a quienes iba dirigido el libro de Hebreos, deberían haber sido ya maestros, necesitaban que se les volvieran a enseñar los primeros rudimentos —sólo podían tomar leche, en vez de comida sólida.

Yo tengo una hijita llamada Georgina. Si le digo: "Georgina, dame nietos", e incluso si oro por ella, ayuno y le propino unos azotes, aun así, no podrá dármelos; no porque sea desobediente o rebelde, sino porque es una niña.

Desde luego, que cuando crezca y llegue al matrimonio me podrá dar nietos —sin oración ni ayuno—; porque ese es el fruto natural del matrimonio.

Cuando yo tenía ocho o nueve años, nuestra iglesia recibió la visita de un predicador que lucía una bonita barba. En aquel entonces las barbas no eran tan corrientes como hoy, de modo que se trataba de algo muy desacostumbrado. Yo me enamoré de aquella barba; ¡el hombre parecía un príncipe!

De manera que empecé a orar a Dios para que me diera una barba; y recuerdo que en cierta ocasión tuve un día de ayuno y oración.

Mi madre me preguntó: —¿No comes hoy Juan Carlos?

—No —le contesté—, estoy ayunando.

—Pero ¿por qué ayunas? —quiso saber.

—Se trata de una petición secreta, mamá.

Aunque ayuné y oré, no me salió barba; sin embargo, cuando tuve dieciséis años, sin orar, ayunar o confesar, aquella se hizo realidad como resultado de un crecimiento y un desarrollo naturales.

Lo mismo pasa con la iglesia. El crecimiento es resultado de la vida. Cuando estamos espiritualmente vivos, crecemos en amor, en gozo, en paz, en paciencia, en benignidad, y en todas las virtudes de Cristo. Estas son el fruto natural de la vida espiritual, y ningún esfuerzo por nuestra parte puede producirlas.

Una de las razones principales de la falta de crecimiento en la iglesia, es que estamos centrados en los conceptos, en lugar de en la vida. Nos preocupa cuáles son nuestras doctrinas, a qué sistema teológico pertenecemos, qué principios tenemos.

¿Qué quiero decir con que estamos centrados en los conceptos?

¿Suponga que me pregunta usted: "Hermano Ortiz, ¿podría darnos un estudio bíblico sobre el gozo?" Desde luego, me encantará hacerlo.

Entonces voy a mi despacho, tomo una concordancia y busco la palabra "gozo"; luego apunto todos los versículos que hablan del gozo. ¡Huy, cuántos! Y selecciono aquellos que convienen a mi mensaje dejando el resto.

A continuación miro en el diccionario griego. ¿Cuál es la palabra griega para gozo? ¡Estupendo! Ahora el hebreo. ¡Mejor todavía! También busco lo que Spurgeon, el gran predicador bautista inglés del siglo XVIII, decía sobre el gozo. ¡Muy bien! Luego consulto asimismo a Whitefield y Shakespeare.

De modo que ya tengo preparado mi estudio. A la siguiente reunión llego y digo: —Hermanos, hoy vamos a hablar sobre el gozo.

Seguidamente explico: —En griego, la palabra gozo tiene un significado distinto que en castellano, ya que es un idioma más rico; pero el hebreo comunica aun más que el griego... Abraham dijo del gozo... Jesús dijo del gozo... Pablo dijo del gozo... Spurgeon dijo del gozo... —¡Qué magnífico estudio para el gozo! —dice luego la gente— Gracias, pastor.

Entonces alguien sugiere: —Hermano Ortiz, es un mensaje tremendo, ¿no podría darnos las notas?

—Sí —contesto—, voy a hacer fotocopias y dárselas.

Así, doblan las notas, las guardan al final de sus Biblias, y las olvidan.

¡Pero nadie tiene el gozo! Tienen el concepto del gozo, pero no su vida.

¿Qué tiene usted? ¿El concepto? ¿O Aquel que es la vida?

La denominación a la cual pertenezco decidió unirse con otra, y todo fue bien hasta que el grupo se hizo más grande y empezamos a escribir nuestra constitución.

Entonces nos juntamos en un comité, y cuando surgió el artículo referente a la "santidad", nosotros dijimos que creíamos en ella; pero la otra denominación expresó: —No, queremos poner que creemos en la "santidad instantánea".

—¿Qué es eso? —preguntamos.

—Bueno, pues que uno es santificado instantáneamente.

—¡No señor! —replicamos—. Nosotros creemos en la santidad progresiva.

Yo no comprendía el debate porque no había estudiado antes

aquella cuestión; de modo que dije: —Escuchen, ¿por qué no ponen ambas cosas en el artículo: "Creemos en la santidad instantánea y progresiva".

—¡No, no, no! —respondieron.

Así que hubo una división; y por consiguiente ninguno de los dos grupos actuó con santidad.

En la práctica ambos tipos de creyentes son iguales; no es que unos sean más santos que los otros. No hay diferencia en absoluto; se trata únicamente del concepto. ¡Aunque no teníamos la vida de la santidad, nuestra doctrina debía ser correcta!

Algunas personas parecen imaginarse que cuando lleguemos a las puertas del cielo, San Pedro nos dará papel y lápiz, y dirá: —Diez preguntas. Si contestas bien a siete entras en el cielo inmediatamente; a menos de siete, pero más de cuatro, vas al purgatorio; y a menos de cuatro, directamente al infierno. *Primera pregunta: ¿En qué bautismo crees: por inmersión, ablución o aspersión? ¿En el nombre de la Trinidad o en el de Jesús solo? ¿En tres inmersiones o pasando bajo una bandera? Pon una cruz al lado de la respuesta correcta.*

¡Vaya problema! Uno no puede copiar de los que están con él, porque a un lado tiene a un miembro del Ejército de Salvación, al otro a un anglicano, y uno mismo es bautista, ¡de modo que los tres van a poner respuestas distintas!

Algunas personas convierten en conflictos cosas como éstas, lo cual produce división en la iglesia; pero lo que cuenta no es cuál sea la forma correcta del bautismo, sino si se tiene a Jesús en el corazón.

En el reino de los cielos no le ponen a uno exámenes doctrinales. San Pedro no va a estar allí con una pizarra, lápices y papel, sino con un estetoscopio.

Tal vez llegue usted con todos sus libros de doctrina para hacer el examen, y pregunte: —San Pedro, ¿dónde está el pupitre para sentarme?

Y San Pedro saca su estetoscopio: "Tic, tic, tic. . .".

—Pase.

—Pero ¿y qué hay del examen?

—Está bien. Tiene usted vida, así que es de aquí.

La salvación consiste en pasar de muerte a vida: "Nosotros

sabemos que hemos pasado de muerte a vida, en que amamos". El amor es la manifestación de la vida; pero por lo general, cuando alguien no cree lo mismo que yo, en lugar de amor le tengo enemistad.

No estoy en contra de la teología. Lo que quiero subrayar es que si usted no tiene vida, y tal vez puede estar en posesión de la mejor teología del mundo, pero se encuentra perdido. Las doctrinas pueden tener su lugar; pero no el primer lugar. Ese está reservado solo para Jesús: "El que tiene al Hijo, tiene la vida". Este versículo no dice: El que tiene las doctrinas correctas tiene la vida; sino el que tiene a la Persona correcta.

Cuando le tenemos a él en el corazón, y comenzamos a caminar reconociendo este hecho, entonces empieza nuestro crecimiento espiritual. Nos hacemos más semejantes a él, y su vida, que llevamos en nuestro interior, se manifiesta cada vez más en la forma en que vivimos. Como dice Pablo, somos cambiados de gloria en gloria en la misma imagen por el Espíritu del Señor.

Si usted tiene un gozo que puede perder cuando vienen los problemas, ese gozo debe crecer hasta que rebose y nada sea capaz de quitárselo. Uno crece espiritualmente en amor, gozo, paz, paciencia. . . Si puede usted amar hoy más que ayer, ello significa que ha crecido; no crece por el hecho de saber más doctrina —esto no es más que engordar el intelecto.

Hace años, si oía a alguien hablar contra mí, yo empezaba a hacer lo propio con él. Al año siguiente, cuando una persona me criticaba, yo apretaba los dientes pero no hablaba contra ella. Eso estaba mejor.

Y llegó el día cuando alguien decía algo en mi contra, y yo comenzaba a alabar al Señor. Eso era crecimiento.

No, no tenemos que orar y ayunar, trabajar y confesar, para ser como Jesús; el crecimiento sucede de un modo natural cuando centramos nuestra vida en él y sabemos que él vive en nosotros. Lo que produce el fruto es la vida de Jesús en nuestro interior.

El antiguo Israel no era como las otras naciones, ya que formaba el pueblo de Dios. Se trataba de un reino de sacerdotes que Dios guiaba por su Espíritu a través de profetas; sin embargo ellos quisieron ser como los demás pueblos, que tenían reyes para pelear sus batallas.

Es triste, pero la iglesia ha caído en la tentación de hacerse igual que cualquier otra religión.

¿Qué es una religión?

Una religión tiene un fundador —Mahoma, Buda, Confucio, Zoroastro, etc.—, que dice cosas las cuales se escriben en un libro. Cuando ese fundador muere, deja el libro, y sus seguidores lo toman y tratan de hacer lo que se dice en él.

Los mahometanos tienen el Corán, y sacan sus doctrinas de ese libro. Comparados con nosotros son pobres, ¡sólo cuentan con cuatro escuelas de interpretación!

En nuestra religión cristiana tenemos un fundador: Jesucristo; quien murió hace mucho tiempo. Las cosas que él enseñó se escribieron en la Biblia; y ahora nosotros sacamos todas nuestras doctrinas de la Biblia como si él estuviese muerto al igual que Mahoma. De modo que tenemos a los calvinistas y los arminianos; a los premilenarios, postmilenarios y amilenarios. . . ¡Tantas doctrinas diferentes dentro de la misma iglesia! Y nos peleamos, lanzándonos versículos unos a otros: "Toma eso. . . y eso otro. . .".

Actuamos como si nuestro fundador estuviese muerto al igual que los de las otras religiones; y al hacerlo, rebajamos a Cristo al mismo nivel que ellos. Nos quejamos de que los mahometanos ponen a Jesús a la misma altura que Mahoma; pero nosotros hacemos lo mismo, ya que Cristo es para nosotros lo que Mahoma es para ellos.

De manera que actuamos como si Jesús no tuviera ningún mensaje para hoy. Se ha ido. Conservamos su libro; y eso es todo. Pero ¡gloria a Dios por el libro! Porque el mismo —la Biblia— ¡nos dice que él está vivo!

La gran diferencia entre nosotros y las demás religiones es que nuestro fundador vive, y es en realidad cabeza de la iglesia. El problema consiste en que no le dejamos hacer demasiado; a pesar de que tenemos el concepto de que él es la cabeza, no obstante no puede gobernar, ya que todo lo deciden nuestros comités.

La iglesia no sabe cómo actuar cuando hay un mover del Espíritu. "¿Qué es esto? —nos decimos— Hemos de ser cautelosos". Vienen el pánico, los problemas y las divisiones. ¿Por qué? Porque con demasiada frecuencia nuestras estructuras no son las adecuadas para un Cristo vivo, sino que están hechas para celebrar funerales; para un fundador muerto.

A menudo, cuando uno va a la iglesia, oye hablar de la mujer samaritana, de Zaqueo, de los diez leprosos, de la maldición de la higuera estéril, de cuando Jesús calmó el mar de Galilea, del ciego Bartimeo, de la multiplicación de los panes y los peces. . . ; y otra vez de la mujer samaritana, de Zaqueo, de los diez leprosos, de la maldición de la higuera. . . ; y de la mujer samaritana, de Zaqueo, de los diez leprosos. . . ; y de la mujer samaritana, de Zaqueo. . . Como si Jesús no hubiese hecho nada desde que murió.

El debe aburrirse tremendamente oyendo nuestros sermones. Suenan a funeral; ya que en los funerales hablamos de lo que hizo la persona difunta cuando estaba viva.

Cierto universitario que se convirtió en nuestra iglesia, me decía: —Hermano Ortiz, durante los primeros meses yo aprendía continuamente en la iglesia; pero al cabo de ese tiempo descubrí que ya sabía lo mismo que los demás. Conocía cómo habría de ser la Segunda Venida de Jesús, todo lo referente a la Gran Tribulación, al nuevo nacimiento, a la Trinidad. . . De allí en adelante sólo me mantuve".

Hay mucha gente que no va a la iglesia porque se aburre; y no porque los cultos sean malos, sino porque siempre son iguales: los mismos himnos, los mismos mensajes, la misma liturgia. . . Uno tiene que ser verdaderamente sufrido para ir a todas las reuniones. ¡Aun Dios tiene que serlo!

Muchas personas están centradas en las actividades de la iglesia, y no en Jesucristo. Vamos a una reunión, y de allí a un estudio bíblico, y más tarde a un culto de oración; estamos de reuniones eternamente. Incluso medimos nuestra espiritualidad por nuestra asistencia a las mismas. Alguien que va a todas las reuniones es muy espiritual: "¡Qué buen cristiano —decimos—, no se pierde una reunión!"

Sin embargo, si esa misma persona no asiste durante dos o tres domingos a los cultos, es que "se está apartando".

No estoy en contra de las reuniones; pero me pregunto qué nos sucedería hoy si se cerrasen todas las iglesias. ¿Qué le pasaría a nuestra religión? El centro de nuestra vida cristiana debe ser Cristo, no las reuniones.

¿Acaso es de extrañar que no veamos más crecimiento en el

pueblo de Dios cuando estamos tan centrados en los conceptos en lugar de en el Cristo vivo?

Gracias a Dios, sin embargo, de que por todo el mundo hay en la actualidad personas que no se encuentran satisfechas con lo que son; están cansadas de intentar vivir como Jesús y de sentirse constantemente fracasadas. Ven su falta de amor, de gozo... y anhelan una revelación en el conocimiento de él, para poder ser esas cartas vivas que se pretendía que fuesen.

Necesitamos una nueva generación de cristianos que sepan que la iglesia gira alrededor de una Persona que vive dentro de ellos.

Jesús no nos dejó meramente un libro, y nos dijo: "Aquí dejo la Biblia; traten de descubrir cuanto puedan en ella haciendo concordancias y comentarios. Hasta la vista".

No, no dijo eso, sino que prometió: "He aquí yo estoy con vosotros todos los días", "donde están dos o tres congregados en mi nombre, allí estoy yo en medio de ellos". No nos dejó huérfanos; él mismo vive dentro de nosotros: "No les dejaré desconsolados, vendré a ustedes. No se quedan sólo con un libro; yo estoy en sus corazones".

Pablo oraba para que el pueblo de Dios pudiese saber que Cristo vive en sus corazones por la fe; a fin de que fuesen fortalecidos en el hombre interior por el Espíritu Santo.

Hoy, los cristianos necesitamos saber que Cristo habita en nosotros; que ya no vivimos independientemente, sino que él es nuestra vida. Precisamos reconocer que, puesto que nuestro viejo "yo" fue crucificado con Jesús, ahora es él quien vive en nosotros.

Y ya que Cristo es nuestra vida, tenemos su carácter en nosotros. No necesitamos copiar, por nuestro propio esfuerzo, lo que la Biblia dice en cuanto a la manera en que él vivió; ni ayunar y orar para que nos dé más amor, gozo y paz. Sólo tenemos que saber que en nuestro interior se halla el Autor del libro; y que él es todo eso. Si entendemos esto, el crecimiento viene de un modo natural, y el cambio tiene lugar en nuestras vidas al verse en ellas más de Cristo. Sólo esta revelación de Cristo en nosotros puede producir un crecimiento en frutos espirituales.

A menudo cantamos: "Fija tus ojos en Cristo...". Eso es lo que vamos a hacer en este libro: fijar nuestros ojos en Jesús, reconociéndole como nuestro Salvador y nuestra vida; tanto en lo individual como en lo corporativo —como iglesia suya.

El tiene que ser el centro de la iglesia, ¡su vida misma!

"Señor Jesús, fijamos nuestros ojos en ti, a fin de conocer que tenemos tu vida dentro de nosotros, y que podemos vivirla por la fe".

Capítulo 2

EL VELO DEL JESUS CON BARBA Y SANDALIAS

Al leer las cartas del Nuevo Testamento veo una tremenda diferencia entre el Cristo que presentaba Pablo al mundo, y el que la iglesia presenta hoy.

Pablo expresó: "De manera que nosotros de aquí en adelante a nadie conocemos según la carne; y aun si a Cristo conocimos según la carne, ya no lo conocemos así" (2 Corintios 5:16).

Cuando Pablo predicaba el Evangelio, no presentaba al Cristo de los cuatro evangelios.

Nunca se le ve hablando de la mujer samaritana, de la alimentación de los cinco mil, o de la resurrección de la hija de Jairo. En lugar de ello, él proclamaba al Cristo ascendido, que está vivo hoy, y ante quien toda rodilla se doblará por último, confesando toda lengua que él es el Señor para gloria de Dios Padre.

A menudo, cuando la iglesia predica el Evangelio, presenta al Cristo de los evangelios: el Jesús con barba y sandalias que anduvo sobre las aguas del mar de Galilea, que maldijo a la higuera estéril, y que sanó a los diez leprosos.

Pero el énfasis de la iglesia primitiva era completamente distinto.

Escuche lo que escribió el autor de Hebreos: "Así que, hermanos, teniendo libertad para entrar en el Lugar Santísimo por la sangre de Jesucristo, por el camino nuevo y vivo que él nos abrió a través del velo, esto es, de su carne, y teniendo un gran sacerdote sobre la casa de Dios, acerquémonos con corazón sincero,

18

en plena certidumbre de fe, purificados los corazones de mala conciencia, y lavados los cuerpos con agua pura" (Hebreos 10:19–22).

La vida que Jesús vivió sobre la tierra abriría para nosotros una relación totalmente nueva con Dios; hasta tal punto que podemos conocerle como él es ahora, de una manera viva y siempre fresca. Su vida terrenal fue sólo la entrada a esa nueva forma en que ahora podemos experimentarle.

De modo que muchas veces me he preguntado a mí mismo: "¿Por qué presenta, por lo general, la iglesia al Cristo de los evangelios en vez de al Cristo glorificado que vive en nuestros corazones hoy?"

El Cristo que predicaba Pablo, dijo en el momento de su partida: "He aquí yo estoy con vosotros todos los días, hasta el fin del mundo".

Ese Cristo es eterno, y todavía se halla con nosotros. Vivía antes de venir a la tierra, y vive ahora mismo; mucho después de su ascensión al cielo.

¿Por qué, pues, nosotros que vivimos pasado el año 1980 insistimos en presentar al mundo al Jesús histórico de hace casi dos mil años? ¿Cuál es la razón de que cada vez que predicamos lo hagamos acerca del Jesús del pasado?

El cuadro del Jesús en carne es en realidad el peor de nuestro Señor. La Biblia dice, hablando de esos 33 años de Cristo sobre la tierra, que "se despojó a sí mismo".

Pablo expresó acerca de la vida terrena de Jesús, que aunque él era Dios de manera inherente, no estimó la igualdad con Dios como algo a que aferrarse, sino que "se despojó a sí mismo, tomando forma de siervo, hecho semejante a los hombres" (Filipenses 2:5–11).

¿Y en qué papel le conoció la gente sobre la tierra?

Hoy, Jesús tiene "un nombre que es sobre todo nombre", ante el cual se doblará toda rodilla; pero mientras estaba en la tierra se le conoció meramente como a un carpintero. El eterno y glorioso Cristo fue hecho como uno de nosotros, un siervo, nada.

El Cristo que se despojó a sí mismo, también "se humilló a sí mismo, haciéndose obediente hasta la muerte, y muerte de cruz". No sólo se humilló para vivir entre los hombres, sino que nació en un pesebre como un animal. Pasó su vida entre pecadores —publicanos y prostitutas—, y luego le crucificaron como a un criminal de la peor clase, enterrándole incluso en una tumba prestada.

El Jesús que anduvo sobre la tierra, era el Jesús con barba, sandalias y túnica —un Cristo despojado—. No es de extrañar, por lo tanto, que nos impresionen mucho algunas de las cosas que él hizo; las cuales nos parecen grandiosas.

Nos impresiona en gran manera el poder de Jesús cuando maldijo la higuera y ésta se secó; pero, en realidad, ¿qué supone para Aquel que creó todo el huerto del Edén maldecir una higuera? No es una gran hazaña.

Puede usted imaginarse a los ángeles, allá arriba en el cielo, hablando con él acerca de su maldición de la higuera. Para ellos, no significaba nada; pero, desde luego, para nosotros es algo grande.

También calmó las aguas del mar de Galilea. Los judíos llamaban "mar" a aquello porque es la única extensión de agua dulce que hay en el país. En realidad no se trata más que de un pequeño lago. ¿Pero qué representa para el creador de las galaxias aquietar las aguas de un lago? Si usted tiene un vaso de agua en la mano y crea una tormenta en el mismo, puede calmarla en un minuto; e incluso en unos pocos segundos. Bueno, pues no era nada extraordinario para Cristo hacer aquello con el mar de Galilea. ¡Sin embargo a nosotros nos impresiona tremendamente!

¿Y por qué nos impresiona tanto?

Porque conocemos a Jesús según la carne. Le vemos bajo la perspectiva de los seres humanos carnales que somos, y no bajo el punto de vista del espíritu. Durante aquellos 33 años, Jesús renunció a su gloria y se hizo como uno de nosotros: bebé, carpintero, predicador. Sin embargo, ¿qué son esos 33 años comparados con la eternidad? Lo mismo sería preguntarse: ¿Qué suponen 33 centavos para alguien que posee miles de millones de dólares?

Pero parece que lo único que conocemos de Cristo son esos 33 años. Todo nuestro material de Escuela Dominical se basa en los mismos.

Yo nací prácticamente en la iglesia, ya que mi madre entregó su vida a Cristo antes de mi venida al mundo. De modo que hasta donde puedo recordar, siempre fui a la Escuela Dominical. Estaba allí todas las semanas; y vez tras vez oía el mismo material.

Cada cinco años se completaba el programa de estudios, y yo volvía a escuchar de nuevo las mismas enseñanzas. Conocía cada una de las lecciones que se iban a impartir, y todas ellas trataban de los 33 años de humillación de Jesús.

Lo mismo pasa con el calendario de la iglesia. Empezamos con Navidad; luego viene la historia del chico de doce años; a continuación su bautismo, la tentación, las parábolas y los milagros; y por último la crucifixión, la resurrección y la ascensión. Entonces volvemos a la Navidad, y el ciclo comienza nuevamente, vez tras vez.

Luego fui al seminario; donde había un curso llamado "Vida de Cristo". ¿Adivine dónde empezaba? En el pesebre. ¿Y sabe dónde terminaba? En la ascensión. ¡Y llamaban a eso la "Vida de Cristo"! Puede que fueran 33 años de su vida; pero, desde luego, no era su vida entera.

¿Por qué dijo Pablo a los corintios que no le preocupaba demasiado el conocer al Jesús histórico?

La razón era que en la iglesia de Corinto había un problema. Pablo había sido el primero de ir a aquella ciudad con el mensaje de salvación; y cuando partió de la misma, ésta recibió la visita de Apolos. Ahora bien, Apolos era un predicador tremendo, y muchas personas fueron más atraídas hacia él que hacia Pablo a causa de su elocuencia. Pero tras Apolos vino Pedro, que también tenía un ministerio atractivo.

Más tarde, un grupo dentro de la iglesia dijo: "Nosotros preferimos a Pablo"; por lo que no tardó mucho en haber una división, ya que los admiradores de Apolos y de Pedro discrepaban de los de Pablo. ¡Y todo aquello sucedía en la misma iglesia! En un mismo cuerpo había admiradores de tres hombres diferentes.

Pablo les dijo que ese tipo de divisiones sucede entre bebés. Tal vez de muchos de nosotros, hoy, habría dicho que ni siquiera habíamos venido al mundo; ¡ya que no podemos ni aun ir al mismo culto! Ellos, por lo menos, estaban en la misma iglesia.

"Yo soy de Pablo, y yo de Apolos, y yo de Pedro". Quizás la gente mayor de la congregación era partidaria de Pablo, ya que cuando él llegó a la ciudad no había en ésta ni siquiera un creyente. Además Pablo había tenido que trabajar haciendo tiendas; de modo que. . . le recordaban.

Por otro lado, los jóvenes probablemente admiraban a Apolos; ya que éste tenía una capacidad intelectual, y una aptitud carismática para hablar, que convencería a cualquiera. Cuando Apolos predicaba, la gente se echaba a llorar.

También Pedro era diferente —tal vez gustaba más a las mujeres; no por su atractivo físico, sino a causa de su ministerio especial—. Para entonces ya anciano, había sido uno de los tres apóstoles más próximos al Señor cuando éste se encontraba en la tierra —al Jesús con barba y sandalias.

De manera que cuando Pedro iba a ir a Corinto, se anunciaba en la iglesia: "Viene uno de los doce... uno de los que caminaron y hablaron con Jesús; de los que viajaron con él". No hay ni que decir que cuando llegaba, el lugar estaba abarrotado.

Pedro no necesitaba preparar ninguno de sus sermones; simplemente contaba historias de Jesús. Todavía no se había escrito el Nuevo Testamento, y por lo tanto la vida de Jesús que leemos en los evangelios no estaba aún registrada en papel. Así que Pedro podía dar testimonios de primera mano los cuales nadie conocía.

"Queridos hermanos —decía—, como saben yo soy uno de los doce; en realidad uno de los tres que estuvieron más cerca de nuestro Señor. Por otra parte, siempre que se nos nombra a los tres apóstoles más íntimos, se hace en el mismo orden: Pedro, Santiago, y Juan. ¿Por qué razón digo esto? Para mostrarles lo cerca que estaba de Jesús.

"Cierto día, íbamos andando por la calle —habíamos estado predicando y sanando a los enfermos todo el día, y volvíamos a la ciudad a la caída de la tarde—, cuando el Señor me dijo: —Pedro, tengo hambre.

"¡Se pueden imaginar cómo me sentí! Miré a mi alrededor para ver si había alguien que tuviera algo de comer; pero a nadie le había sobrado nada. Habíamos comido todo cuanto trajéramos con nosotros. Pero mirando por allí vi una higuera un poco más lejos; yo sabía que al Señor le gustaban los higos.

—Oh —dije—, una higuera. Pero cuando llegamos a ella no había ni un solo higo para el Maestro. ¿Y saben lo que hizo?

—No, no puso higos en el árbol, sino que la maldijo; ¡y la higuera se secó allí mismo, delante de mis propios ojos!

—¡Qué poder!

"Otro día nos hallábamos cruzando el mar de Galilea, y yo le dije a Jesús —ya están al corriente de lo íntimos que éramos—:

—Señor, nosotros sabemos cómo cruzar el mar; somos pescadores. Tú duerme, que has trabajado mucho —como me vio muy preocupado por él, me hizo caso y aceptó mi consejo.

"Cuando el Señor estaba dormido y nos encontrábamos en medio del mar, se desató una tempestad. El viento era tan fuerte, y las olas se embravecían tanto contra nuestra embarcación, que pensamos que íbamos a morir todos. De modo que fui a Jesús, y sacudiéndole le desperté: —Señor —le dije frenéticamente—, nos estamos hundiendo.

"Entonces él se levantó, y apoyado en mi hombro —todavía puedo sentir su contacto— habló a los vientos y a las aguas, y en un segundo el mar quedó en calma y enmudeció".

¡De qué manera tocaba aquello a la gente! Esta empezaba a llorar: ¡Qué milagro, cuánto poder!

En algún lugar de la iglesia alguien decía al hermano sentado a su lado: —Oye, ¿por qué no nos contó Pablo estas cosas? Nunca nos refería nada de esto.

—Calla, quiero escuchar —le respondía el otro—. Es porque Pablo no estuvo con Jesús. Se convirtió mucho más tarde, y no vio nunca al Señor.

Pedro continuaba: —Luego, recuerdo aquella otra vez cuando sanó a Bartimeo, el ciego. . . —Dime —insistía aquel hermano—, ¿no debería uno haber visto a Jesús para ser apóstol?

—Sí.

—Pero me has dicho que Pablo no estuvo con Jesús. . . —Calla y escucha.

Mientras tanto Pedro seguía diciendo: —Entonces, la mujer samaritana. . . —No creo que Pablo sea un apóstol; si lo fuera debería haber estado con Jesús. Este sí que es un apóstol, escucha lo que nos está contando.

Para entonces Pedro se encontraba ya hablando de los diez leprosos; y la murmuración había comenzado en la iglesia. Tal vez Pablo no fuera un apóstol —se decía la gente—, ya que no había estado con Jesús, y uno de los requisitos de los apóstoles era haberle conocido en persona. En cambio Pedro. . . ¡Pedro sí que lo era!

La murmuración empezó a llegar a oídos de Pablo; y el asunto le preocupó, porque, como usted y yo, él también sufría momentos de ansiedad. De modo que tomó papel y pluma y escribió una carta a los corintios.

"De ahora en adelante —les dijo—, a nadie conozco según la carne"; dando a entender: "No me importa si eres doctor o apóstol; lo que cuenta es tu relación con Cristo, no tu título".

Si Pablo estaba pensando en Pedro cuando habló de los que conocían a Cristo según la carne, no quería dar a entender que aquél no tuviese una relación con Jesús. No, él amaba a Pedro y le respetaba. Era cierto que en una ocasión le había reprendido delante de todos; pero no estaba tratando de tirarle por tierra cuando expresó que no le preocupaba el Cristo en la carne.

Lo que Pablo quería decir era que aunque él hubiera conocido a Cristo según la carne, aunque hubiese estado con Pedro, Santiago y Juan, aquello no tendría importancia. "Preferiría conocerle como le conozco" —ese era el significado de sus palabras.

¿Y sabe usted cómo conocía Pablo a Jesús?

La primera vez que Saulo —así se llamaba entonces— vio a Jesús, por poco se muere. Su encuentro inicial con él tuvo lugar en el camino de Damasco. El Señor abrió una ventana del cielo; donde le fue mostrada la gloria de Dios a Pablo. Este cayó de su caballo y quedó ciego durante los tres días siguientes.

Más tarde, Pablo fue levantado al tercer cielo: la sede central del reino de Dios.

En aquella ocasión tuvo una entrevista con Cristo. No sabemos cuánto duró la misma —puede que hubiera varias en un período de meses, o incluso de años—. Esto sucedió después de que huyese de Damasco. Durante muchos años no leemos nada acerca de él, hasta que Bernabé fue a buscarle a la ciudad en que había nacido y le llevó consigo a Antioquía; sin embargo sabemos que pasó dos o tres años en el desierto orando.

Cuando Pablo fue arrebatado al cielo, habló con Cristo; pero no con el Cristo de barba y sandalias, sino con el glorioso y eterno Cristo. Le vio en su eternal estado; lo cual fue mejor que haberle conocido en la carne, durante el período de su humillación, como Pedro.

Pedro tenía dificultad de entender algunas de las cosas que

escribía Pablo. "Tengan cuidado cuando lean las cartas de Pablo —dijo en cierta ocasión—, porque en ellas hay algunos conceptos muy difíciles". El había visto a Cristo sólo desde el punto de vista de su ministerio terrenal; pero Pablo le había contemplado en su gloria, así que tal vez tuviese una comprensión más profunda del Cristo eterno.

Al igual que Pablo, yo también estoy contento de haber conocido a Cristo tal como es ahora, y no como era cuando estaba en la tierra. ¿Sabe? Yo tengo un problema menos que aquellos que le conocieron como ser humano. Una conciencia demasiado grande del Cristo en la carne puede representar un impedimento para conocerle en el espíritu.

Cada vez que aquellos que le conocieron en la carne oraban, recordaban su apariencia; pero Pablo no tenía ese problema, él conocía a Cristo como es en realidad. Esto suponía una ventaja a su favor, ya que para él Jesús era más una realidad viva que un personaje histórico.

Resulta evidente al leer las cartas de Pablo que él no cita ni una sola vez los evangelios. Nunca dice, por ejemplo: "Querido Timoteo, voy a explicarte el pasaje de la mujer samaritana...". ¿Ha leído alguna vez que Pablo hiciera esto? Y sin embargo nosotros lo hacemos constantemente.

¿Cómo predicamos el Evangelio?

En primer lugar hablamos de la mujer samaritana, los diez leprosos o Zaqueo; y luego espiritualizamos esas historias introduciendo a la gente a las Buenas Nuevas.

Pero Pablo no hacía eso. Después de su conversión él tuvo un encuentro con los apóstoles en Jerusalén sólo durante quince días; así que realmente no sabía demasiado acerca del Jesús histórico. Pablo nunca tuvo la ocasión de sentarse con alguien y decirle: "Explícame la historia de Zaqueo".

Si usted conoce solamente al Jesús histórico, tiene su conocimiento retrospectivo, estático.

Recuerdo una vez que prediqué un sermón sobre el Buen Samaritano. Era durante una campaña evangelística. Yo enseñaba homilética en nuestra escuela bíblica, y la citada campaña se estaba llevando a cabo en la capilla del centro.

Preparé siete sermones distintos sobre aquel pasaje, y en cada uno de ellos espiritualizaba los diferentes aspectos de la historia; sin embargo, el énfasis de Jesús estaba sobre: "Ve, y haz tú lo mismo".

Cuando uno se encuentra a alguien en necesidad, le ayuda; sin embargo, en toda mi predicación acerca de aquella parábola no dije nada sobre eso.

Pablo no predicaba a Cristo como cuando yo analicé la historia del Buen Samaritano. El no presentaba al Jesús de los evangelios; le interesaba más el Cristo eterno y glorioso del presente.

Cuando Jesús viene a nuestras iglesias, debería ser el Cristo vivo y glorificado quien está presente en medio de nosotros. El es la cabeza viviente de la iglesia; y tiene mucho que decirnos si estamos dispuestos a oír.

Capítulo 3

EL NUEVO PACTO ES EL ESPIRITU

Pablo iba a bordo de un barco que se dirigía a Roma. Había apelado al tribunal de César y viajaba como prisionero para ser juzgado. Entonces se desencadenó una tremenda tempestad, y como hacía varios días que estaba nublado y no podían ver las estrellas, se extraviaron. A medida que el temporal empeoraba, la gente empezaba a desesperar; llorando y perdiendo toda esperanza de conservar la vida.

Pero no pasaba lo mismo con Pablo, quien estaba cantando a pesar de que el barco se hundía.

—¿Cómo puedes cantar? —le preguntaron.

—No se preocupen —contestó él—. Vamos, coman alguna cosa; tengan ánimo.

—¿Que tengamos ánimo?

—Sí. La noche pasada estaba hablando con el Señor, y él me dijo que el barco se va a hundir, pero que todos nos salvaremos. Debe haber una isla por aquí cerca, y seremos arrojados a ella con vida.

Dese cuenta de que no dijo: "Tengan ánimo; lean el Salmo 23". No, lo que dijo fue: "El Señor me ha dicho que el barco se va a hundir, y que todos nos salvaremos".

Pablo había recibido el último boletín informativo directamente del cielo. El tenía una relación personal con Jesucristo; lo que significaba que no le era necesario buscar el Salmo 23 para saber que todo iba a salir bien.

Aquellas personas en las que Cristo vive reciben las noticias del último minuto, y contemplan al Señor hacer cosas maravillosas continuamente. Estas no necesitan leer el periódico para ver lo que pasó el día anterior: el locutor del telediario vive dentro de ellas.

Digo esto para ilustrar un punto. De hecho tengo mucho respeto por la Biblia, ya que todo lo que pertenece a Jesús es siempre una bendición, y en cierto sentido nunca resulta viejo. Pero los evangelios son únicamente el punto de partida de una relación con Jesucristo, puesto que él todavía vive hoy. La historia de su vida no ha terminado aún.

La primera vez que leí el Nuevo Testamento completo era un chiquillo de aproximadamente siete u ocho años de edad; y cuando llegué al último capítulo del libro de los Hechos, me sentí frustrado.

"¿Dónde está lo que falta?" —quise saber.

El relato de Hechos acaba cuando Pablo se encuentra en la casa de su arresto. Aquel final me decepcionó. Quería seguir leyendo el resto de la historia; sin embargo, naturalmente, ese libro siempre estará inacabado —ya que el Señor se halla todavía vivo—. No se puede terminar la biografía de alguien que vive aún.

De modo que Pablo dice: "Una conciencia demasiado grande del Cristo en la carne puede representar un impedimento para conocerle en la actualidad como la persona viva que es".

Este es un problema que tenemos todos los cristianos evangélicos. Nos resulta difícil conocer al Señor Jesucristo de hoy porque nos hemos hecho un ídolo de la historia de sus 33 años sobre la tierra hace casi dos mil años.

Ahora bien, tener un conocimiento de Cristo en la carne es bueno; no estoy diciendo nada contra eso. Tampoco pienso que Pablo hablara en contra de lo mismo cuando expresó que ya no le preocupaba el hecho de conocer a Jesús según la carne. El tener un conocimiento así de él está bien siempre que se le siga conociendo más y más.

En cuanto a Pablo, prefería conocer a Cristo como es ahora. Tengo que decir que yo escogería antes no tener conocimiento de Jesús en la carne, que no conocerle según es en la actualidad.

El conocimiento del Jesús histórico es estático; así que no produce crecimiento. Pero conocer al Señor actual, representa algo más dinámico: le conocemos, y le seguimos conociendo más y más; uno le conoce mejor hoy que ayer.

Cuando hablo de conocerle no me estoy refiriendo a saber más de la Biblia. En el seminario vi a personas estudiar continuamente las Escrituras pero no crecer en absoluto espiritualmente. Otras, por el contrario, crecían.

El hecho de que usted lea la Biblia no es en sí una garantía de que crecerá espiritualmente. Hay grandes teólogos que saben que la Biblia puede ser de ayuda; pero ello no supone una seguridad de que lo sea. No obstante, si uno conoce las Escrituras, y al mismo tiempo al Señor Jesucristo actual, éstas pueden ayudarle mucho.

En los días de la iglesia primitiva, aquel cuerpo vivo de creyentes se extendía por todo el mundo. Todavía no tenían el Nuevo Testamento, y había de apoyarse tan sólo en el Cristo viviente. Les era necesario depender únicamente de Jesús.

Mi preocupación hoy es que tal vez ponemos demasiado énfasis en los libros acerca de la Biblia —en la historia escrita del Jesús en la carne—, hasta el punto de que no necesitamos al Señor actual.

En ocasiones creo que podríamos incluso decirle: "No te preocupes, Señor, tenemos todos los sermones que predicaste hace dos mil años, cuando estabas en la tierra, y también podemos recitar de memoria las historias de los milagros que realizaste. Quédate en el cielo, realmente no te necesitamos aquí".

En Filipenses vimos un cuadro de Jesús en su peor manifestación: despojado de su gloria y habiendo tomado forma de siervo.

Aunque se trata de un cuadro maravilloso —ya que lo peor de Dios es mejor que los logros más excelentes de los hombres, su debilidad más fuerte que la mayor fortaleza de éstos, y sus locuras mucho más sabias que los hombres más sabios—, sigue siendo cierto que durante su tiempo en la tierra Jesús se encontraba en su peor momento.

En 2 Corintios 5:16, Pablo explica que la clave del crecimiento espiritual es conocer a Cristo como es ahora; y no como era en la carne. Entonces. . . ¿qué aspecto tiene ahora?

Luego está Hebreos 10:19–22, que dice que tenemos "libertad para entrar en el Lugar Santísimo por la sangre de Jesucristo, por el camino nuevo y vivo que él nos abrió a través del velo, esto es, de su carne".

Aquí el escritor está diciendo implícitamente que el cuerpo del Señor es un velo. Yo no puedo menos que concordar con él; ya que ese cuerpo ha escondido la gloria eterna de Jesucristo. Detrás del mismo se oculta el eterno Emanuel: Dios con nosotros.

Sólo en algunas ocasiones mostró Jesús su gloria a través del velo; y una de ellas fue en el Monte de la Transfiguración. Mientras los apóstoles le estaban mirando, su carne y sus vestiduras no podían contener tanta luz.

Al final de su vida, cuando se encontraba solo orando en el huerto, dijo: "Padre, dame otra vez la gloria que tuve contigo antes de los siglos". De modo que la carne de Jesús era un velo detrás del cual se escondía aquel Ser eternamente glorioso: el Creador de todas las cosas.

Conocer al Jesús de barba y sandalias no era realmente conocer a Cristo; él se ocultaba detrás de aquel cuerpo; por eso el escritor de Hebreos nos exhorta a traspasar el velo de su carne para conocerle en espíritu. Naturalmente, estaba pensando en el tabernáculo del Antiguo Testamento.

Recordará usted que el tabernáculo tenía un atrio exterior; luego, dentro del mismo, estaba el Lugar Santo; y en el interior de este último, el Lugar Santísimo. Este Lugar Santísimo se encontraba asimismo al otro lado del velo del templo, el cual era muy grueso y se mantenía cerrado. Sólo el sumo sacerdote podía entrar allí, y no más de una vez al año. Los otros sacerdotes veían la parte exterior del velo, pero nunca lo que había dentro. Estos ministraban en el Lugar Santo; jamás en el Santísimo.

Sin embargo, cuando Jesús murió en la cruz, la Biblia dice que el velo del templo se rasgó en dos. ¿Puede imaginarse el sobresalto que supondría aquello para un posible sacerdote que se encontrase ministrando en ese momento en el Lugar Santo, tal vez ofreciendo incienso a Dios? De repente el velo se rasga por la mitad y queda abierta la entrada al Lugar Santísimo, viendo dicho sacerdote el interior del mismo.

Pero realmente el velo que se estaba desgarrando aquel día era el cuerpo de Cristo.

Jesús murió por muchas razones; no obstante, una de ellas fue para acabar con ese velo. Entregó su vida a fin de despojarse del cuerpo de carne que había ocultado su ser eterno; su glorioso estado. Así que, cuando murió en la cruz, la barba y las sandalias terminaron repentinamente. Aquel cuadro de Jesús tenía que desaparecer de la vida de los discípulos, para dejar paso al verdadero Cristo escondido en ese cuerpo de carne.

El autor de Hebreos nos suplica que atravesemos el Lugar Santo y entremos en el Santísimo; que vayamos más allá del Cristo de los evangelios y le conozcamos en el Espíritu. Hoy hemos de adorarle, no en la carne, sino en espíritu y en verdad.

No es de extrañar que el escritor sagrado tuviera que echar en cara a los Hebreos su falta de crecimiento espiritual. Estos se habían quedado en el lado del velo que no debían, y ahora él tenía que instarles a que siguieran adelante a la perfección. Una de las cosas que aquellos Hebreos necesitaban hacer era traspasar el velo.

Cuando en el templo el velo se rasgó por la mitad, los judíos lo cosieron de inmediato, ocultando así de la vista el Lugar Santísimo. Parece como si la iglesia hubiera hecho lo mismo, y nuevamente nos encontrásemos fuera de dicho velo.

Durante muchos años me supe el velo de memoria. Si me dice usted la primera palabra del relato de la mujer samaritana, de los diez leprosos, o del ciego Bartimeo, le cuento el resto. Lo conocía todo al dedillo; ya que había estado escuchando las mismas cosas desde que nací. Todo mi ministerio se desarrollaba fuera del velo, mientras predicaba sin cesar acerca de la mujer samaritana, de Zaqueo, y de los diferentes acontecimientos que tuvieron lugar durante la misión terrena de Jesús.

Pero cierto día vi un agujerito en el velo, y exclamé: "Señor, ¿cómo es posible que todavía estemos predicando acerca de cuando maldijiste a la higuera estéril? ¿Qué dirían tus ángeles si vinieran a un culto y vieran al Señor de gloria maldiciendo aún a una higuera? Te doy gracias porque hiciste tal cosa; pero quiero empezar a ministrar al otro lado del velo".

La causa de nuestra falta de crecimiento espiritual en la iglesia es que hemos cosido el velo. Los conceptos y doctrinas referentes al Cristo que vivió hace casi dos mil años, son estáticos, no tienen vida; de modo que no pueden producir crecimiento. Sólo las cosas vivas son capaces de originar desarrollo.

Estamos más centrados en la historia que en Cristo. Hemos

jurado lealtad a la doctrina de un Jesús histórico en lugar de a una persona viva; esa es la razón de que hay tantas divisiones entre nosotros. Todos pretendemos estar en posesión de la verdad, pero tenemos diferentes doctrinas, aunque nuestro Cristo sea el mismo.

Si fuésemos cristocéntricos, y tuviéramos a Jesús como una persona viva y cabeza real de la iglesia, habría unidad; pero la cabeza de nuestra iglesia está compuesta por una serie de preceptos y doctrinas acerca del Cristo histórico; por lo tanto estamos divididos.

Cuando fijamos la mirada en Jesús, experimentamos la unidad. Si una persona viene a Cristo, viene al mismo Cristo de los católicos y de los protestantes. Sólo hay un Jesús, no muchos. Sin embargo, cuando nuestros ojos se centran en las reglas y doctrinas particulares de cada uno, nos encontramos divididos.

Necesitamos comprender la diferencia entre el Antiguo Pacto y el Nuevo. Pablo describe al creyente como una "carta de Cristo... escrita no con tinta, sino con el Espíritu del Dios vivo; no en tablas de piedra, sino en tablas de carne del corazón" (2 Corintios 3:3).

El Antiguo Pacto son los Diez Mandamientos, grabados en unas tablas de piedra. Pero el Nuevo, es Cristo mismo que vive dentro del corazón del creyente. ¡Se trata de un tipo de pacto totalmente distinto! Los súbditos del reino de Dios no son gobernados por una ley externa, sino por el mandato interior del propio Rey.

Luego, Pablo seguía diciendo: "... el cual asimismo nos hizo ministros competentes de un nuevo pacto, no de la letra, sino del espíritu; porque la letra mata, mas el espíritu vivifica" (versículo 6).

¿Qué quería decir Pablo con "el espíritu"?

Muchos creyentes se imaginan que el Antiguo Testamento es letra; y el nuevo, espíritu. O piensan, que el Nuevo Pacto es una versión más espiritual de la antigua ley: la ley más el Sermón del Monte; ¡pero ambas cosas son letra!

Según Pablo, el Nuevo Pacto no es una ley escrita, ni del Antiguo ni del Nuevo Testamento. No consiste en ninguna interpretación espiritual de los Diez Mandamientos; ni tampoco en el Sermón del Monte. El Nuevo Pacto no supone una ley escrita, sino que es el Espíritu.

Así que Pablo seguía explicando: "Porque el Señor es el Espíritu; y donde está el Espíritu del Señor, allí hay libertad" (2 Corintios 3:17). ¡El Nuevo Pacto es un acuerdo que Dios hizo de venir y vivir dentro de nosotros personalmente para cumplir su voluntad!

El Antiguo Pacto es letra; el Nuevo, Espíritu. El Señor mismo es el Espíritu, y vive dentro de nosotros. Estar en el reino de Dios significa estar unido al Rey de tal manera que él gobierna a uno desde dentro del nuevo corazón.

Podemos utilizar los evangelios o cualquier otra parte del Nuevo Testamento de la misma forma que la gente usa el Antiguo; que es en realidad igual que los musulmanes emplean el Corán: leemos el Libro e intentamos vivir según lo que dice. Vemos lo que hizo nuestro fundador, y tratamos de copiarle. Esto nos convierte en una religión más, igual a todas las otras.

¡Pero el Nuevo Pacto no es una religión! Tenemos un fundador viviente el cual está vivo hoy; vivo dentro de nosotros. El, en nuestro interior, es la ley por la cual vivimos; y su vida se reproduce en nosotros porque hemos sido unidos a él, hechos un espíritu con él (1 Corintios 6:17). Por esa razón Pablo podía decir: "Para mí el vivir es Cristo". La vida del apóstol no estaba bajo su propio dominio; sino bajo el control de Cristo.

El Antiguo Pacto se describe como un ministerio de muerte. Era un pacto glorioso porque contenía muchas leyes hermosas; pero ministraba muerte a aquellos que trataban de guardarlas, ya que no podían hacerlo. Por esta razón Pablo llamaba al Antiguo Pacto el "ministerio de condenación".

Cuando Moisés recibió el Antiguo Pacto, puso "un velo sobre su rostro, para que los hijos de Israel no fijaran la vista en el fin de aquello que había de ser abolido. Pero el entendimiento de ellos se embotó; porque hasta el día de hoy, cuando leen el antiguo pacto les queda el mismo velo no descubierto, el cual por Cristo es quitado. Y aún hasta el día de hoy, cuando se lee a Moisés, el velo está puesto sobre el corazón de ellos. Pero cuando se conviertan al Señor, el velo se quitará" (2 Corintios 3:13–16).

La gente que vivía bajo el antiguo pacto tenía un velo sobre su corazón; y he de decir con tristeza, aunque también con esperanza, que durante muchos años también yo leía la Biblia con un grueso velo sobre el mío, y no estaba mejor que aquellos de los tiempos del Antiguo Testamento a causa de ello. Veía la letra y nada más; no percibía el Espíritu. Así que dicha letra era como un velo para mí: no me dejaba ver la intención de Dios que había detrás de ella. Tan sólo distinguía las exigencias sin vida de la ley; exigencias que nadie ha sido jamás capaz de cumplir.

Ahora comprendo por qué Pablo dice que el Antiguo Pacto es condenación y muerte. Yo intentaba vivir por la ley, y enseñaba a otros a hacer lo mismo; pero siempre nos sentíamos fracasados. ¡Jamás lo conseguíamos! Por lo tanto experimentábamos una sensación condenatoria y vivíamos con un permanente sentimiento de culpabilidad.

Existe una gran cantidad de creyentes terriblemente desanimados porque intentan vivir la vida cristiana teniendo el Antiguo Pacto y el Nuevo mezclados. Saben que en el Nuevo no estamos bajo la ley; sin embargo aún tratan de vivir de acuerdo con ella. Luego, cuando descubren que no pueden hacerlo, se sienten condenados.

Nuestras iglesias están llenas de cristianos con sentimiento de culpabilidad; y muchos de nosotros habíamos aprendido a llevar una careta con el fin de aparentar que lo estábamos haciendo todo bien. Pero tras esas caretas se escondía una sensación de fracaso y desaliento. Hay creyentes que se sienten desesperados porque no pueden hacer aquello que, según piensan, deben hacer.

Me entristece ver a tantas personas que tratan de vivir la vida cristiana sin conseguirlo. No obstante también me da esperanza. ¡Sí, esperanza! Esto puede parecer paradójico; pero en mi propia vida, sólo cuando llegué al final de mis esfuerzos, cuando vi que no era capaz de hacer todo lo que se espera de un cristiano, abandoné la lucha y me volví hacia el Señor.

Cuando un hombre vuelve su mirada al Señor, se le quita el velo; y una vez que dejamos de intentar hacer las cosas nosotros mismos y descansamos en Jesús, confiando en que él en nosotros vivirá la vida cristiana, ya no nos ciega dicho velo, sino que nos enfocamos como es debido y vemos claramente.

¿Qué ve uno cuando se le quita el velo?

Quiero que escuche usted muy atentamente lo que dijo Pablo; se trata de una revelación asombrosa. Si puede ver esto alguna vez, toda su vida será transformada.

Cuando Moisés bajó del monte Sinaí después de ver a Dios cara a cara durante cuarenta días, su rostro brillaba. ¡Algo de la gloria de Dios debió penetrar en su piel, de tal manera que su cara irradiaba luz en realidad! ¡Tuvo que ser algo tremendo verle brillar con la gloria de Dios!

Sin embargo, Moisés sabía que aquella gloria había de desvanecerse; así que se puso un velo sobre el rostro. ¿Y por qué hizo esto? Porque conocía a la gente y sus reacciones; de modo que actuó con mucha sabiduría.

Si él hubiese vuelto irradiando gloria, la gente, al verle, habría dicho: "¡Qué hombre de Dios este Moisés!" Y prácticamente le hubieran adorado. Sin embargo, una vez que la gloria se desvaneciese, expresarían: "¡Ha perdido la unción!"

No sé cuánto tiempo duraría aquella gloria. Supongamos que fuera un mes. Durante la primera semana brillaba mucho —¡cómo habría respetado el pueblo entonces a Moisés!—. Luego, la segunda, su brillo era un poco menor. La tercera, menor aún. Hasta que al final de la cuarta ese brillo había desaparecido por completo. ¿Qué pensarían entonces de Moisés?

Nosotros hacemos eso con nuestros pastores.

Cuando el pastor predica hermosos sermones, visita a la gente y muestra por ella un amor tremendo, ésta le alaba: "Pastor —expresan—, estamos tan contentos de tenerle con nosotros. . . ¡Qué unción la de su ministerio!"

Pero luego ese pastor atraviesa por momentos difíciles, y su predicación ya no parece tan inspirada; ni es tan afectuoso como solía cuando visita a la gente.

"No es el mismo de antes —empiezan a decir entonces—, ¡ha perdido la unción!"

Ahora bien, todo esto es un tipo del Antiguo Pacto. Cuando las personas viven bajo la ley, obedeciendo a la letra, puede que durante algún tiempo les vaya bastante bien: se disciplinan, ponen sus vidas en orden. . . parecen muy santos.

Digamos, por ejemplo, que alguien viene a las reuniones y testifica: "Hermanos, he tenido una experiencia tremenda con el

Señor: El me ha liberado de las drogas".

Ahora, ese hermano parece muy santo; está haciendo todo lo que es correcto, y por lo tanto es aceptado por cada uno de la iglesia como alguien muy espiritual. ¡Tiene la gloria!

Sin embargo, dos o tres semanas después se encuentra de nuevo en el parque fumando hachís. ¡Cristo no le había liberado de las drogas en absoluto! De hecho, si hubiésemos sido prudentes le habríamos puesto un velo sobre el rostro para que nadie supiese que había dejado de fumar. La gloria que antes manifestara era simplemente la de la ley; y pronto se marchitó, ya que la santidad de la letra es por lo general transitoria.

Después de señalar la gloria perecedera de la santidad temporal que produce la ley, Pablo continúa mostrando lo diferente que es la gloria de Cristo: "Por tanto, nosotros todos, mirando a cara descubierta como en un espejo la gloria del Señor, somos transformados de gloria en gloria en la misma imagen, como por el Espíritu del Señor" (2 Corintios 3:18).

La gloria de Cristo en la vida de una persona, en vez de marchitarse aumenta "de gloria en gloria".

La razón es muy sencilla. No se trata de una santidad exterior consistente en conformarnos a lo que otros esperan de nosotros como cristianos, sino interna, y que brota de manera espontánea, natural y sin esfuerzo, del centro mismo de nuestro ser.

El corazón viejo que todos teníamos en el momento de nacer ha sido substituido, y ahora tenemos un nuevo corazón. El viejo hombre intentaba ser santo, pero no podía mantenerse así porque su corazón no lo era; de modo que su gloria pronto se marchitaba. Pero el nuevo hombre tiene un corazón santo, de manera que resulta natural para él vivir rectamente.

El corazón es nuestro "centro de control" —como el centro espacial de Houston, Texas, E.U.A.—. En la vieja vida, quien se hallaba sentado dentro de nosotros en ese centro de control era el dios de este mundo. Este ejercía el señorío de nuestras vidas, de tal manera que el pecado nos gobernaba (Efesios 2:2; Romanos 6:20).

Pero cuando nuestros corazones se volvieron al Señor, Satanás fue expulsado de su trono y su mandato interior sobre nuestras existencias terminó; viniendo a vivir y reinar, en su lugar, Cristo

Jesús. El está ahora en nuestro centro de control, de modo que nos hallamos bajo el gobierno del reino de Dios. A cada uno él nos dio un nuevo corazón.

En el Nuevo Pacto no hay ningún velo; podemos mirar fijamente la gloria de Cristo sin que nada la cubra. En la cruz el velo se eliminó; de modo que tanto nosotros como él estamos descubiertos.

Ahora bien, ¿dónde podemos ver esa gloria descubierta o revelada de Cristo? ¿En qué lugar debemos buscarla?

Escuche las palabras de Pablo: "Por tanto, nosotros todos, mirando a cara descubierta como en un espejo la gloria del Señor. . .".

Si usted se quita el velo de la cara y mira en un espejo, ¡verá la gloria del Señor! O dicho en otras palabras: Cuando retira el velo de la ley de su vida, y dirige su mirada a un espejo para ver quién es usted en realidad, contemplará la gloria de Cristo en su propio rostro.

La persona que se une al Señor bajo el Nuevo Pacto, "un espíritu es con él (1 Corintios 6:17). Dos han llegado a ser uno. De modo que cuando nos miramos a nosotros mismos sin el velo del pacto antiguo, vemos una expresión de Jesucristo. ¡Aleluya!

¿Y qué Cristo vemos?

Al Señor actual; a Aquel que no está ya velado en la carne. No al Jesús con barba y sandalias, sino al Cristo que se encuentra unido a nosotros como un espíritu y que es nuestra vida en el tiempo presente; en el siglo XX.

Por eso leemos en Romanos 5:10: "Porque si siendo enemigos, fuimos reconciliados con Dios por la muerte de su Hijo, mucho más, estando reconciliados, seremos salvos *por su vida*".

La muerte de Jesús, el derramamiento de su sangre en el Calvario, hizo posible nuestro perdón y justificación; y se nos dice que gracias a ella no hay cargos contra nosotros en el día del juicio.

Pero la sangre de Jesús no nos inviste de poder para vivir una vida salva; la salvación como realidad dinámica la experimentamos gracias a la *vida* presente de Cristo.

La salvación no es un regalo que Dios nos da del tipo que viene envuelto en un bonito paquete para que lo pongamos sobre un estante y lo admiremos. No se trata de una "cosa". ¡La salvación es una vida! Es andar de un modo particular, experimentar una cierta calidad de vida.

Por eso dice Pablo: "Ocupaos en vuestra salvación con temor y temblor".

Ocuparnos en nuestra salvación significa andar como personas salvas; experimentar el hecho de esa salvación día a día; vivir con el nuevo corazón; manifestar la nueva creación que somos en Cristo.

¿Y cómo nos ocupamos en nuestra salvación? ¿De qué manera vivimos la vida salva?

"Porque Dios es el que en vosotros produce así el querer como el hacer, por su buena voluntad" (Filipenses 2:13). ¡Cristo es nuestra vida! El es quien nos mueve a hacer la voluntad de Dios, capacitándonos para llevarla a cabo. El es quien produce la vida en nosotros porque somos uno con él.

Pablo explicaba: "Porque vosotros sois el templo del Dios viviente, como Dios dijo: Habitaré y andaré entre ellos, y seré su Dios, y ellos serán mi pueblo" (2 Corintios 6:16).

Cuando vivamos nuestra vida ordinaria, la de todos los días, Dios promete que vivirá a través de nosotros. Somos vasijas para contenerle. El nos mueve, nos impulsa, nos motiva para hacer su voluntad; de tal manera que podemos decir como Pablo que no somos ya nosotros quienes vivimos, sino que es Cristo quien vive en nosotros (Gálatas 2:20).

Jesús dijo: "He aquí yo estoy con vosotros todos los días".

Eso era lo que comprendía la iglesia primitiva. Ellos no tenían el Nuevo Testamento, ni siquiera el Antiguo; no contaban con copias de este último en sus hogares para leerlas. Sólo tenían a Jesucristo. De manera que decían: "Jesucristo te sana; vamos, levántate".

Nosotros decimos: "Lee libros sobre la sanidad". Y eso es porque tenemos un enfoque teológico basado en los libros y en la meditación, en vez de en la vida. Ellos contaban con una persona viva, nosotros sólo tenemos un concepto.

La crónica de la iglesia primitiva fue: "Y ellos, saliendo, predicaron en todas partes, ayudándoles el Señor y confirmando la palabra con las señales que la seguían" (Marcos 16:20).

Nosotros cantamos: "Nunca más caminaré solo. . .". Por lo menos en esto estamos siendo sinceros: No vamos solos, vamos con la Biblia bajo el brazo.

Pero los de la iglesia primitiva iban con el Señor; él moraba dentro de ellos y caminaba en ellos. El era su vida, y no sólo un concepto, por eso se movían con tanto poder.

Le recomiendo que lea de nuevo los evangelios de principio a fin, y luego estudie el velo.

Una vez que haya hecho esto último, y esté seguro de que comprende dicho velo, póngalo a un lado y eche una mirada al Cristo ascendido el cual está vivo en usted hoy. Mírese en un espejo sin el velo del viejo pacto de la ley —olvidándose del Jesús con barba y sandalias— y vea al Cristo actual obrando a través de usted en este mismo momento.

—¡Señor, has estado dentro de mí todo este tiempo!

—Sí, aquí estoy.

Luego empiece a disfrutar de la comunión con él; a conocer su punto de vista en todos los asuntos que afectan a la vida de usted.

Deje de intentar copiar al Jesús de hace casi dos mil años, y que el Cristo vivo fluya a través del carácter de usted. Comience a ver las cosas bajo el ángulo que él las ve, y a pensar con su mente.

"Donde está el Espíritu del Señor, allí hay libertad". No libertad para ser un libertino, ni para volcar los bancos y hacer mucho ruido; sino libertad de la esclavitud de la ley —del Antiguo Pacto—; libertad para ser esa expresión única de Cristo que él quiso que fuera.

¡Cristo está vivo hoy!

Mírese en un espejo. Enfóquese; descubra quién es usted realmente: una expresión del Cristo glorificado y eterno que vive en su interior. Comience a creer esto acerca de usted mismo, y empezará a experimentar la vida de él como una realidad diaria.

Capítulo 4

CRISTO ESTA DONDE ESTAMOS NOSOTROS

En los tiempos de Jesús los discípulos tenían un problema: estaban buscando continuamente una manifestación física del reino de Dios; y el Señor tuvo que decirles, repetidas veces, que el reino era diferente a como lo habían imaginado.

Hoy seguimos teniendo ese mismo problema; por lo que en este capítulo quiero subrayar un punto: el reino de Dios está en nosotros. No lo busque por ahí, a su alrededor, porque no lo encontrará. El reino se halla dentro de usted.

Pablo oraba por el pueblo de Dios de su época, para que: "Os dé, conforme a las riquezas de su gloria, el ser fortalecidos con poder en el hombre interior por su Espíritu; para que habite Cristo por la fe en vuestros corazones" (Efesios 3:16, 17).

Quiero que se dé cuenta de lo que él pedía. No oraba: "Pido que tengan buenas reuniones". Oraba para que nuestro hombre interior fuera fortalecido, y Cristo pudiera morar por la fe en nuestros corazones.

¿Dónde vive Cristo?

En nuestros corazones por medio de la fe. Estar en el reino de Dios no significa otra cosa. Jesús es el Rey, y viene a vivir dentro de nosotros; somos unidos a él en espíritu para que él gobierne nuestros corazones. Así estamos bajo su mandato en nuestras vidas, y él es nuestro Señor. Esto es el reino de Dios.

Luego, Pablo seguía diciendo: "Para que seáis llenos de toda la plenitud de Dios". Ser lleno quiere decir tenerle a él dentro de usted, como el agua que llena un vaso se encuentra en el interior del mismo y no fuera.

—Lleno de toda la plenitud de Dios... Pero Pablo, ¿sabes lo que estás diciendo?

—¡Claro que sí, caballero!

Entonces proseguía: "Y a Aquel que es poderoso para hacer todas las cosas mucho más abundantemente de lo que pedimos o entendemos, según el poder que actúa en nosotros...".

¿Dónde actúa su poder? En nosotros.

El mensaje de Pablo era muy sencillo, realista, y aplicable a la vida diaria. En nuestras teologías nos hacemos demasiado idealistas, e intentamos escalar las cumbres de altas montañas; pero Pablo empieza donde estamos: con las cosas pequeñas de la vida. Si somos fieles en estas cosas pequeñas, el Señor nos dará cosas más grandes.

Su evangelio era realmente buenas noticias; porque tenía que ver con cómo vivir: trataba de nuestra vida de todos los días —de aquella que cada uno debe llevar—; y Pablo resumía el mismo en una clara afirmación: "Cristo en vosotros, la esperanza de gloria" (Colosenses 1:27). Con eso tiene que ver el Nuevo Pacto.

Esencialmente, la diferencia entre el pacto antiguo y el nuevo, es que el antiguo obraba fuera de la gente, mientras que el nuevo lo hace dentro de ella.

El Antiguo Pacto había que leerlo en un libro, y luego tratar de cumplirlo; pero el Nuevo dice: "Daré mi ley en su mente, y la escribiré en su corazón; y yo seré a ellos por Dios, y ellos me serán por pueblo" (Jeremías 31:33). En éste, la ley se incorpora al individuo como un sistema interior de dirección.

Ezequiel lo expresó de esta manera: "Os daré corazón nuevo, y pondré espíritu nuevo dentro de vosotros; y quitaré de vuestra carne el corazón de piedra, y os daré un corazón de carne. Y pondré dentro de vosotros mi Espíritu, y haré que andéis en mis estatutos, y guardéis mis preceptos, y los pongáis por obra" (Ezequiel 36:26, 27).

Nosotros no tenemos que intentar poner por obra el Nuevo Pacto; es Dios quien nos mueve a hacerlo desde dentro. Se trata de un impulso interior del Espíritu, que está en nuestro nuevo corazón y nos impele a andar en el camino de Dios.

Jesús expresó esto muy claramente a sus discípulos: El Espíritu "mora con vosotros —les dijo—, y estará en vosotros". ¡En ustedes! ¡De Pentecostés en adelante, el Espíritu está dentro!

En el Antiguo Testamento no se hablaba tanto de plenitud, sino más bien de unción. Esto era debido a que el Espíritu se movía desde fuera sobre las personas para llevar a cabo sus planes —sólo visitaba a la gente—; de modo que el término del Antiguo Testamento era "unción".

Ahora bien, en el Nuevo Pacto no se trata de una visita del Espíritu Santo; sino que él viene con todo su equipaje para quedarse, para morar. Por eso hablamos más de "plenitud" que de "unción": El está dentro de nosotros.

En la Fiesta de los Tabernáculos, Jesús hizo una declaración extraordinaria. La gente se encontraba en Jerusalén participando de aquella gran celebración religiosa, cuando él subió al templo y anunció a todos: "Si alguno tiene sed, venga a mí y beba. El que cree en mí, como dice la Escritura, de su interior correrán ríos de agua viva" (Juan 7:37, 38).

¿De dónde viene el Espíritu? ¡No de fuera, sino del interior del creyente! El está en nosotros. Este es el Nuevo Pacto —Cristo en nosotros la esperanza de gloria.

No tenemos que estudiar para aprender cómo se busca al Señor. No necesitamos tratar de bajarle a la fuerza del cielo para que se llegue a ungirnos. El ha venido a morar en nosotros por medio del Espíritu, e intenta fluir hacia afuera a través de nosotros. Lo que necesitamos es aprender a liberar aquello que ya tenemos dentro.

Este es un planteamiento completamente distinto de la actitud que muchos de nosotros hemos tenido, tratando de buscar a Dios y de recibir nuevos derramamientos del Espíritu desde el cielo. La Biblia presenta a Cristo en nosotros, no como una meta a alcanzar sino como un hecho que debe ser comprendido.

Mientras seguimos pensando en Cristo como en alguien fuera de nosotros que tiene que venir y llenarnos, estamos negando lo que dice la Biblia y convirtiéndola en una mentira; ya que la realidad de que Cristo está en nosotros es la promesa mayor y más clara de las Sagradas Escrituras.

Ahora bien, hemos de estar seguros de que esto nos ha sucedido realmente, y que él se encuentra dentro de nosotros. Pero, una vez que le tenemos, no necesita volver a entrar. Sólo hemos de creer que está ahí en toda su plenitud.

Así que Jesús dijo que ríos de agua viva correrían de nosotros; no que entrarían en nosotros. A la mujer samaritana, le explicó: "El que bebiere del agua que yo le daré, no tendrá sed jamás; sino que el agua que yo le daré será en él una fuente de agua que salte para vida eterna" (Juan 4:14). El agua salta dentro de nosotros, y corre de nosotros hacia afuera.

Pablo preguntaba a los corintios: "¿O ignoráis que vuestro cuerpo es templo del Espíritu Santo, el cual está en vosotros, el cual tenéis de Dios, y que no sois vuestros?" (1 Corintios 6:19). Otra vez vemos que el Espíritu de Dios está en nosotros; él se ha instalado en nuestro interior.

A los romanos, Pablo dice lo mismo: Aquellos que son guiados por el Espíritu de Cristo, son los hijos de Dios; y si alguno no tiene el Espíritu de Cristo, no es de él —no es cristiano—. De manera que no necesitamos tratar de conseguir el Espíritu de Dios; lo tenemos, y él nos guía desde dentro.

El hecho de que el Espíritu está en nosotros resulta claro por muchas declaraciones de la Escritura; y también por muchos símbolos que se utilizan en la Biblia. Considere, por ejemplo, la figura del tabernáculo o del templo.

Cuando se inauguraron el tabernáculo del Antiguo Pacto, y el templo de Salomón, Dios bajó en llama de fuego sobre ellos, y dijo: "Moraré y viviré aquí". Vino sobre el edificio.

Pero el día de Pentecostés sucedió algo diferente: Dios descendió también con fuego para inaugurar el nuevo edificio; pero, en este caso, el edificio somos nosotros.

Jesús dijo: "Destruid este templo, y en tres días lo levantaré". Aquello era una herejía a los oídos de los que escuchaban. Se habían necesitado muchísimos años para construir ese edificio, ¡y él pretendía ser capaz de levantar uno nuevo en tres días!

Desde luego, Jesús hablaba de una clase de templo diferente, el cual sustituiría al edificio: se refería a su cuerpo. Son necesarios más de tres días para construir un templo terrenal; pero en tres días su cuerpo fue resucitado —lo cual constituía un símbolo del nuevo templo que formamos usted y yo.

Me pregunto por qué seguimos llamando iglesias a los edificios físicos. ¿Hemos comprendido realmente alguna vez que nosotros somos el templo actual?

¿Por qué llamamos a un edificio: la iglesia?

Las palabras simbolizan ideas; y aunque la gente sabe que la iglesia no es el edificio, todavía dice: "Voy a la iglesia".

Pero se trata de una idea errónea. Nunca podemos *ir* a la iglesia, porque *somos* la iglesia. El edificio no es en absoluto la iglesia; y me pregunto si la razón por la cual no actuamos como iglesia durante toda la semana no será que persistimos en decir palabras las cuales nos dan un concepto de la misma como algún sitio al que tenemos que ir.

Jesús dijo: "Donde están dos o tres congregados en mi nombre, allí estoy yo en medio de ellos". ¿Qué nos trae eso a la mente? La reunión de la iglesia. Pensamos en gente que va junta a la iglesia.

Pero eso no era lo que Jesús quería decir. El nunca expresó: "Donde hay un piano, un órgano y dos banderas[1], allí estoy yo en medio de ellos". Dijo dos o tres personas.

Cuando me despierto por la mañana, pregunto: —Marta, ¿estás ahí?

—Sí, Juan Carlos —responde ella.

Somos dos, y ambos tenemos a Cristo. Los dos creemos y confiamos en él; de manera que somos la iglesia —en ese momento la iglesia está acostada.

Luego nos sentamos a la mesa para desayunar. Allí se une a nosotros David, y más tarde Juan Roberto. Pronto nos convertimos en seis al llegar también nuestras dos hijas: la iglesia está tomando el desayuno. Ese es el edificio que Jesús dijo que levantaría en tres días.

Necesitamos hacer énfasis en lo que es en realidad la iglesia. Lo sabemos en nuestras mentes, pero no en nuestros corazones; de manera que no vivimos en consonancia con ello.

Uno de los mayores problemas de la iglesia es que sabemos estas cosas, pero no las hacemos. No tenemos necesidad de conceptos, sino de vida: precisamos vivir lo que creemos.

De manera que cuando se inauguró este nuevo edificio el día

---

[1] En las iglesias evangélicas de los Estados Unidos suele haber dos banderas detrás del púlpito: la norteamericana y la cristiana. (N. del T.)

de Pentecostés, descubrimos que el fuego cayó del mismo modo que lo había hecho sobre el tabernáculo y el templo. ¿Y en qué cayó? ¿En el edificio o en la gente? En la gente. No vino sobre el tejado de la construcción, sino sobre las personas; porque desde aquel día Cristo iba a morar en aquella gente como anteriormente lo hiciera en el templo.

Cuando creemos en Jesucristo, él viene a vivir dentro de nosotros.

Nosotros oramos: "Venga tu reino". Pues su reino viene a nuestros corazones; él entra en nosotros y se hace uno con nosotros para poder gobernar nuestras vidas desde el centro de control de las mismas: el nuevo corazón.

¿Dónde está el Señor resucitado? Tal vez piense usted que más allá de las nubes; o incluso de las estrellas. ¿Pero dónde se encuentra según la Biblia? Aquí, en nuestro interior. Ha venido a hacer su morada con nosotros; a establecerse en nosotros, a comer y beber en nuestra compañía. El comparte con nosotros nuestras vidas diarias y ordinarias: todas las cosas que hacemos durante el día y la noche.

La gente piensa que llevar una vida espiritual significa vivir de una manera que no es normal: ir a reuniones en el edificio de la iglesia, o pasar mucho tiempo encerrado en una habitación estudiando la Biblia o de rodillas. Se considera que ser espiritual supone algo distinto de la vida ordinaria.

Pero no es así: una persona espiritual es la que vive todo el tiempo en Jesús, unida a él, siendo una con él, y dejándole a él que le guíe en todas las cosas que hace. De manera que se vive una vida normal, pero toda ella bajo el control de Jesucristo. Eso es lo que significa vivir en el reino de Dios: llevar una vida plena, completamente física, bajo la dirección interna del Rey.

A eso se refería Pablo cuando oraba pidiendo que pudiésemos "ser fortalecidos con poder en el hombre interior por su Espíritu; para que habite Cristo por la fe en vuestros corazones... para que seáis llenos de toda la plenitud de Dios... según el poder que actúa en nosotros".

El cristianismo no es una cuestión externa, como la religión; sino algo interior que funciona mediante la fe. Creemos que Cristo está dentro de nosotros, y no necesitamos depender de sentimientos externos porque lo sabemos sin lugar a dudas.

Tal vez a estas alturas se esté usted diciendo: "Eso ya lo sabíamos. No hemos tomado este libro para perder el tiempo leyendo cosas que ya sabemos. Díganos algo nuevo".

¿Lo sabe realmente?

Durante años yo pensé que lo sabía; y predicaba acerca de ello utilizando todos los pasajes de las Escrituras que hablaban de Cristo en nosotros. Incluso decía a la gente: "Hermanos, abran sus corazones al Señor".

Ve usted, yo empleaba todas las palabras correctas; sin embargo no conocía la vida. ¡Tenía el concepto, pero no lo vivía!

Puede que esto resulte gracioso, pero cierta vez me encontré en una situación en mi propia iglesia que demuestra la diferencia que hay entre estar en posesión de un concepto y experimentar la vida. Nuestro director de canto, dijo: —Comencemos la reunión con el himno 224: "Desde que Jesús vino a mi corazón".

Luego, una vez que cantamos dicho himno, anunció: —Y ahora vamos a entonar el 191: "Ven a mi corazón Señor Jesús".

¿Qué había pasado entre el primer himno y el segundo? En el primero Jesús estaba allí; pero en el segundo resulta que ya no —¡tenía que venir!

Estábamos más centrados en los conceptos y en la doctrina que en la vida.

Una de nuestras doctrinas decía que Cristo había de venir a nuestro corazón; lo cual es perfectamente correcto. Pero luego, teníamos otra según la cual él está en nuestros corazones. El problema consistía en que se nos habían mezclado.

Ahora bien, si nuestras doctrinas fueran una realidad para nosotros, cuando el pastor dijera: —Cantemos: "Ven a mi corazón, Señor Jesús", le responderíamos: "Pastor, si usted no lo tiene, cántelo; nosotros sí lo tenemos".

Deberíamos ser cuidadosos con lo que cantamos; porque muchas de nuestras canciones pertenecen al Antiguo Pacto. En aquellos tiempos hacían bien en cantar: "Subamos al monte del Señor, y a la casa de nuestros Dios". El monte del Señor estaba en Jerusalén, y la casa de Dios era el templo; pero si no traducimos esas canciones al Nuevo Pacto, acabaremos confundidos.

David cantaba: "Yo me alegré con los que me decían: A la casa de Jehová iremos".

Sin embargo, para cantar ese salmo, debo adaptarlo; de modo que sencillamente lo cambio por: "Yo me alegro con los que me dicen: Somos la casa del Señor". Eso lo convierte en un cántico del Nuevo Pacto.

El templo era una sombra; nosotros tenemos la realidad. Si usted canta acerca de ir a la casa del Señor, está pensando en un lugar determinado; tal vez en el edificio de la iglesia. Tenga cuidado cuando canta las palabras del Antiguo Testamento; especialmente los salmos. Hay algunos salmos maravillosos; pero necesitamos traducirlos al Nuevo Pacto.

Creo que estamos sufriendo las consecuencias de una terrible mezcla del Antiguo Pacto y del Nuevo; tratando de vivir con dos maridos a la vez. Queremos estar casados con el señor Ley y con Jesús, ¡lo cual es adulterio!

Si somos cristianos hemos muerto a la ley; Pablo nos lo dice en Romanos 7:1–6. Deberíamos estudiar ese pasaje con mucha atención, porque el adulterar es cosa seria. Nosotros ya no estamos casados con la ley; sino con "otro" esposo: el Cristo ascendido.

En cierta ocasión estuve en otro culto en el que el director de canto dijo: —Cantemos: "Hay un río de vida que fluye de mí". Y luego, en la misma reunión, se cantó: "Hazme venir a tu río, Señor". ¿Qué había pasado?

Acabábamos de hablar acerca de un río de vida que brotaba de nosotros a torrentes, y un momento después estábamos exclamando: "Heme aquí con ardiente sed". ¡Qué confusión! No es extraño que no podamos convencer al mundo de la vida que predicamos: ¡Nosotros mismos no estamos seguros de lo que tenemos y de lo que no tenemos!

Escuche de nuevo las palabras de Jesús: "Cualquiera que bebiere de esta agua [hablando del agua que sustenta la vida física], volverá a tener sed; más el que bebiere del agua que yo le daré, no tendrá sed *jamás*; sino que el agua que yo le daré será en él una fuente de agua que salte para vida eterna".

Cuando cantamos: "Heme aquí con ardiente sed", estamos contradiciendo a Jesús. El habló de ríos de agua viva que saltarían de nosotros, corriendo luego hacia otras personas; sin embargo nosotros decimos que estamos secos y sedientos. ¿No es eso llamarle mentiroso?

"No tendrá sed jamás". Ello significa que ya no estamos sedientos. "Bienaventurados los que tienen hambre y sed. . . porque ellos serán saciados". Pero como no creemos la promesa de que vamos a ser saciados, continuamos hablando y cantando acerca del hambre y de la sed de Dios.

¿A quiénes se dirigía Jesús cuando dijo que los que tenían hambre y sed de justicia serían saciados? ¿A los creyentes? No, estaba hablando a gente inconversa, que experimentaba una sed continua del alma; que buscaba al Señor pero no podía conocer la unión con él.

Como Jesús había dicho en Juan 6:35, cuando expresó: "Yo soy el pan de vida; el que a mí viene, nunca tendrá hambre; y el que en mí cree, no tendrá sed jamás", él mismo vendría a vivir en ellos para satisfacer esa sed y esa hambre del alma, y serían llenos de toda la plenitud de Dios porque él moraría en ellos. ¿No es algo tremendo?

La Escritura dice: "Buscad y hallaréis". Pero hemos contraído tal hábito de siempre buscar fuera de nosotros mismos, que parece que jamás hayamos encontrado. No obstante, lo cierto es que sí hemos hallado; de modo que no necesitamos seguirle buscando. ¡Sólo tenemos que mantener los ojos abiertos para ver que él vive en nosotros en toda su plenitud y gloria!

Cuando cantamos palabras incorrectas, llegamos a tener una teología confusa. Nunca creceremos espiritualmente si en un momento pensamos que estamos llenos, y al siguiente decimos que nos encontramos vacíos. ¡No sabemos lo que somos! Se trata todo de un asunto de conceptos, y no de vida.

Cristo no vino a traernos una religión, sino vida. Su propósito era tener una relación con nosotros. Jesús es una persona, y resulta que yo tengo a esa persona dentro de mí. El vino y se quedó aquí conmigo. Me dijo: "Si me abres, entraré, y mi padre también, y moraremos en ti".

No hay nada que necesitemos tener más claro que esto; y resulta vital que no estemos confusos en cuanto a este punto. Somos el edificio de Dios, y él se encuentra dentro de nosotros. Donde estamos nosotros, está Cristo. Si tenemos esto confuso, jamás creceremos.

Cuando la gente me dice: "¡Hermano, debemos buscar al Señor!" Yo les contesto: "¡Yo nunca lo he perdido!"

¿Qué quiere usted decir cuando expresa: "Busca al Señor"? Ese es un concepto del Antiguo Pacto. No sé en su caso; pero yo le encontré hace mucho tiempo, y ocurre que está dentro de mí.

Sabe usted, muchas veces, cuando oramos, nos parece que el Señor se halla muy lejos, y rogamos: "Señor, quiero oír tu voz. Señor, Señor, Señor. . .". Extendemos los brazos, lejos de nosotros mismos, como si estuviésemos tratando de alcanzarle. Pero él dice: "Lo siento, cuanto más alto apuntas, tanto más te alejas de mí. Yo me encuentro aquí abajo".

Cuando ore, no extienda los brazos, porque él está en usted.

¿Sabe usted quién se encuentra ahí afuera? El dios de este mundo. Pero a Cristo lo tiene dentro; y ese es el único lugar donde puede conocerle.

Bajo el Antiguo Pacto, decían: "Alcemos las manos al santuario y bendigamos al Señor". ¿Pero qué es hoy el santuario? Algo muy diferente del templo: ¡El santuario somos nosotros!

No estoy diciendo que no debamos levantar las manos en adoración y alabanza. Si lo hace porque revienta de gozo interior y quiere expresarlo hacia afuera, eso está muy bien. Pero si el alzar las manos le produce un sentimiento de que Dios está ahí fuera, en alguna parte, ¡entonces bájelas! Eso no es el Nuevo Pacto. Si desea extender las manos hacia él, procure dirigir los dedos hacia sí mismo; porque es ahí donde le hallará.

Necesitamos ser conscientes, de un modo continuo, de que Dios está en nosotros; y hemos de saber, sin el menor género de dudas, que en nuestro interior tenemos todos los recursos de Aquel que sostiene el universo.

"Llenos de toda la plenitud de Dios" —como lo expresa Pablo.

Una vez que creemos esto de veras, hasta el punto de que no hay en nosotros ninguna confusión en cuanto a dónde está él, hemos de aprender la forma de liberar lo que poseemos.

Capítulo 5

NO SABEMOS LO QUE TENEMOS

Hay creyentes en cuyas vidas el fútbol ha tomado el lugar de Cristo; y en otros casos, ha sido el dinero. Ya no van a las reuniones de la iglesia con regularidad; de modo que aquellos de nosotros que lo hacemos, les miramos con tristeza porque han dejado de ser cristocéntricos.

Resulta muy lamentable que el fútbol o el dinero ocupen el lugar del Señor; pero no es menos trágico cuando los sustitutos son incluso cosas buenas: como la Biblia o las reuniones de la iglesia.

Algunas personas tienen la costumbre de hacer una visita a su siquiatra una vez por semana, y dicen que necesitan pasar esa hora con él para sobrevivir. Para muchos de nosotros la reunión de la iglesia es esa misma clase de tónico.

Las reuniones pueden ser maravillosas: pero mi vida espiritual no está basada en reuniones, sino en Cristo.

Al considerar la oración de Pablo por los Efesios, vimos que su deseo era que pudiésemos ser fortalecidos con poder en nuestro hombre interior. Ahora bien, las reuniones pueden ayudar a ese fortalecimiento, o pueden ser el peor impedimento de todos para el mismo; ello depende de si nuestro centro son dichas reuniones o es Cristo.

"¿Pero no somos todos cristocéntricos?" —puede preguntar alguien.

Cuando oigo algunas de las cosas que dicen los cristianos me pregunto si somos en realidad cristocéntricos. Con frecuencia escucho declaraciones que me causan preocupación. Entre los carismáticos y pentecostales principalmente, se dice por ejemplo: "Hermanos, nada más llegar a este lugar he sentido la presencia del Señor".

Así que interrogo: "¿Y dónde estaba el Señor antes de que vinieras aquí?"

En realidad, si no le hubiésemos llevado con nosotros, no estaría allí; él no mora en edificios, sino en gente. No vive en lugares; vive en los corazones de individuos.

Si Cristo se halla en la reunión cuando usted va allí, es porque está en su interior. Usted lo ha llevado. De modo que ¿cómo puede decir: "Tan pronto como llegue a la reunión sentiré la presencia del Señor?"

No confunda la emoción con la presencia de Dios.

Cuando alguien me dice: "Siento la presencia de Dios", pongo seriamente en duda que tenga una comprensión real del Nuevo Pacto. Esa misma gente que "siente" la presencia de Dios en las reuniones, dice también: "Señor, estoy reseco", ¡cuando tienen ríos de agua viva en su interior!

En algunas ocasiones me dicen: —Hermano Ortiz, qué espiritual es usted; debe pasar mucho tiempo a solas con el Señor. ¿Qué tiempo dedica a ello?

—Cuando usted se vaya —les contesto— estaré a solas con él.

¿Entiende? Estoy con él todo el día. El se encuentra en mí, y yo soy uno con él; de manera que no tengo más elección que estar con él continuamente. Cuando me hallo con otra gente, estoy con él; y si me encuentro solo, también.

Me gustaría preguntarles a esas personas: ¿Qué quiere usted decir cuando habla de un tiempo a solas con el Señor? Tal vez usted crea que para estar a solas con el Señor necesita irse a alguna montaña. Pero no; él se encuentra con usted todo el tiempo. Usted tiene una relación con él; la más íntima que cualquier persona pueda tener. ¡El está dentro de usted! El es mi vida; de modo que ¿cómo podríamos separarnos siquiera un instante?

Yo mantengo un diálogo continuo con él. Si he estado hablando con una persona, cuando ésta se va digo: "Señor, bendícela". No es una religión, sino una relación.

¡Muchos de nosotros nos estamos muriendo de sed en medio

del río Amazonas! Tenemos ríos de agua viva en nuestro interior listos para brotar como un torrente; pero no lo sabemos, de modo que nos sentimos sedientos.

¿Recuerda usted al hermano mayor del hijo pródigo? Cuando este último volvió, su padre hizo una fiesta; tuvieron gran celebración y mataron el becerro gordo. El hermano mayor escuchó el sonido de la música y del baile, y se sintió excluido. Más tarde, cuando supo que su hermano había vuelto, y que se celebraba un gran banquete, se enfadó.

Entonces el padre salió a verle, y le dijo: —Entra, y únete a la fiesta.

—No, no —respondió él—. Yo he estado contigo continuamente, pero nunca me has dado ni un cabrito para hacer un banquete con mis amigos; y ahora viene este bribón y matas el becerro gordo. . . A lo que el padre contestó: —Mira, tú siempre has estado conmigo, y todo lo mío es tuyo.

En otras palabras, le dijo: "Si no has matado una cabra para hacer fiesta, es porque eres un necio".

El hijo mayor se estaba quejando, y sin embargo tenía todo cuanto podía desear. Para liberar los ríos que hay en nuestro interior, lo único que hemos de hacer es actuar contando con que lo que Dios dice es verdad.

Me gusta utilizar ilustraciones, porque nos proporcionan un cuadro más claro de las definiciones teológicas. En cierta ocasión pedí a uno de mis diáconos que me ayudase a ilustrar el Nuevo Pacto, diciéndole en el vestíbulo: —A mitad de mi sermón le pediré todo su dinero. Voy a darle mi cartera, llena de billetes, pero nadie sabrá que es mía. Cuando le diga: "Hermano Alvaro, entrégueme todo el dinero que tenga; quiero que me lo dé", entonces usted me tiende la cartera; no se la devolveré.

Cuando le pedí la billetera, subió corriendo y me la entregó. Todos se quedaron asombrados. Les enseñé cuánto dinero había en la misma, y dijeron: —¡No es posible, no es posible!

¡Se preguntaban qué habrían hecho si lo hubiera requerido de ellos!

—Gracias —expresé, guardándome la cartera en el bolsillo.

El local estaba lleno de caras sorprendidas; pero el diácono y yo sabíamos el secreto. Desde luego, el dinero era mío, ¡y de no habérmelo dado hubiera podido llamar a la policía!

Cuando Dios le pide a usted que haga algo, es porque primero le ha dado la capacidad de hacerlo. De modo que si le dice que ame, y usted no obedece, ¡puede llamar a la policía! El le ha proporcionado la facultad de amar porque Cristo está en usted. Como decía Pablo: "Todo lo puedo en Cristo que me fortalece".

No necesitamos aprender a obtener más de Dios; sino a liberar todo lo que tenemos: "El amor de Dios ha sido derramado" —expresa Pablo. ¿Dónde? "En nuestros corazones". De modo que todo el amor que necesitamos está ahí.

No diga: "Señor, dame más amor para que pueda amar a mi hermano".

Si usted no ama a su hermano, no es porque no tenga suficiente amor. Todo el amor que necesita está dentro de usted. No precisa más amor; sino saber cómo liberar la abundancia del mismo que tiene en su interior.

Dios nunca nos manda que hagamos algo que no podemos hacer; ni jamás le pedirá a usted que realice aquello para lo que no le ha capacitado. Tal es la promesa del Nuevo Pacto: "*Haré* que anden en mis caminos".

Recordará usted el incidente cuando Pedro y Juan iban al templo y vieron a aquel cojo echado a la puerta llamada la Hermosa. Ellos no señalaron a aquel hombre y dijeron: "Necesitas venir a nuestra campaña, a fin de que te enseñemos los cuatro pasos para obtener la sanidad. Si aprendes esos pasos, y crees en ellos, podrás ser sanado". No, expresaron: "Lo que tenemos, te damos".

En cierta ocasión invité a un evangelista a predicar en mi iglesia; y en el último culto dijo: "Si no tiene usted fe, no venga al altar".

Yo le expliqué: "Mire, si tuviéramos fe no necesitaríamos invitarle a usted aquí. Nosotros queríamos oírle porque creemos que tiene más fe que nosotros".

Pedro y Juan no pidieron al hombre que hiciera nada, sino que le dieron lo que ya tenían. Se trataba sencillamente de los ríos que brotaban espontáneamente de su interior. Los dos apóstoles *sabían* con lo que contaban. El problema es que nosotros no lo sabemos.

Nosotros decimos: "¡Por favor, Señor, sana a tal persona!" Y luego nos volvemos hacia el individuo, y le pedimos: "Ahora mueva la pierna".

Sin embargo, deberíamos expresar: "Lo que tenemos, te damos".

No estoy tratando de ridiculizar las cosas que hacemos. Sigamos haciéndolas si entretanto ayudan a la gente. ¡Gloria al Señor por lo que él ya nos ha dado! Pero yo espero más: la plena operación del Nuevo Pacto, el derramamiento ilimitado de Cristo en nosotros; y creo que estamos descubriendo cómo esto puede suceder.

¿Qué significa vivir en el Espíritu?

Vivir en el Espíritu y andar en el Espíritu es estar consciente, de manera continua, de la presencia de Cristo en uno. ¡Eso es todo!

—¿Qué? ¡Eso es demasiado sencillo!

Se han escrito muchos libros acerca del andar en el Espíritu. Algunos de ellos son muy buenos; pero la mayoría tratan de las cosas que necesitamos "desaprender", y no aprender, para vivir en el Espíritu: van dirigidos a cristianos que están en el error.

¿Pero qué pasa con el nuevo convertido? ¿Necesita leer todos los libros de Watchman Nee para ser capaz de llevar una vida en el Espíritu? Si es así, el vivir en el Espíritu se convierte en algo difícil; porque sólo una cierta clase de personas pueden leer todos esos libros.

La vida en el Espíritu debería ser lo más sencillo que se pueda imaginar. Las cosas del reino de Dios son fáciles, simples; por esa razón dijo Jesús que para comprender la vida del reino tenemos que olvidarnos de lo inteligentes que somos y hacernos como niños.

Especialmente hoy somos personas inteligentes porque hemos recibido mucha educación; y creo que hay una gran cantidad de cosas concernientes al Evangelio las cuales no comprendemos, no por su dificultad, sino porque son demasiado fáciles y no nos atraen.

Uno de los líderes de nuestra iglesia es economista —doctor en Ciencias Económicas y profesor de Matemáticas en la universidad—. Cierta mañana, cuando me encontraba predicando, le pregunté: —¿Cuánto son dos más dos?

Al principio me sonrió, porque la respuesta era obvia. No obstante, yo no le devolví la sonrisa, sino que guardé una expresión muy seria y perpleja en el rostro. Como consecuencia de ello, él también se puso serio; y comenzó a hacer todas las ecuaciones que le venían a la mente utilizando el número dos.

Yo permanecí silencioso, y toda la congregación prestó atención. Después de un rato, el hombre contestó: —No lo sé, pastor.

—Gracias —le dije.

En la fila siguiente había un niño; de modo que le pregunté a él.

—¿Cuánto son dos y dos?

—Cuatro —fue la respuesta inmediata.

¿Comprende? Era demasiado fácil para el doctor en Ciencias Económicas. Este no podía creer que yo le preguntara algo tan sencillo como cuánto era dos y dos; y ya que se trataba de una cosa tan fácil, empezó a buscar dificultad a mi pregunta.

Jesús expresó en una ocasión: "Te alabo, Padre, Señor del cielo y de la tierra, porque escondiste estas cosas de los sabios y de los entendidos, y las revelaste a los niños". Si entendemos lo que quería decir —que la vida en el reino de Dios es una cosa muy simple— habremos descubierto la clave de un vivir permanentemente gozoso y en paz.

Si las cosas del Señor son para los pobres e ignorantes, han de ser muy sencillas; de otra manera, tal vez estén hechas para algún teólogo de Inglaterra o Alemania, pero no para mí.

Andar en el Espíritu es más fácil de lo que usted pueda imaginar. No se necesita leer ningún libro. Ni siquiera éste. De hecho, cuanto más lee uno, más confuso llega a estar; hasta que comprende de veras la sencillez del Evangelio. Por esta razón yo jamás doy libros a los nuevos convertidos.

Necesitamos tener abiertos los ojos de nuestros corazones, para ver que, debido a que Cristo está en nosotros, y que estamos unidos indisolublemente con él permaneciendo así siempre en su presencia, la vida se hace muy fácil.

Suponga usted que es una hermana de mi iglesia y que yo la veo en la esquina de la calle. Entonces me digo para mí: "Ah, voy a saludar a aquella hermana".

Aligero el paso detrás de usted tratando de alcanzarla; pero como usted no sabe que soy yo, continúa caminando. Luego, al darse cuenta de que alguien la sigue, empieza a andar cada vez más deprisa, echándose por último a correr. Yo corro también.

Tres calles más allá, ya exhausto, grito: —¡Hermana! ¡Soy yo... Juan Carlos Ortiz!

—Oh, hermano Ortiz —dice usted—, qué bendición verle. ¡Aleluya!

—Pero si he estado tratando de alcanzarla durante tres calles —le explico—, lo que pasa es que no se daba usted cuenta de que era yo.

Algunas veces hacemos esto con Jesús. Le tratamos como si no estuviese presente.

¿Ve usted? Podemos estar hablando acerca de Jesús pero conscientemente encontrarnos lejos de él; como cuando cantamos cosas como: "Ven a mi corazón, Señor Jesús", estando ya él en el mismo.

¿Recuerda los dos discípulos que iban camino de Emaús? Hablaban acerca de Jesús; y mientras lo hacían, él les alcanzó y empezó a intervenir en la conversación. Estaban hablando de él, pero se hallaban completamente inconscientes del hecho de su presencia con ellos.

—¿De qué hablan? —les preguntó.

—¿Quiere decir que no lo sabe? —respondieron asombrados—. Todo el mundo habla de Jesucristo. ¿Cómo es posible que usted sea el único que no está al corriente? ¿Es acaso extranjero y acaba de llegar a la ciudad? ¿No sabe siquiera quién era Jesús?

Incluso cuando empezó a exponerles las Escrituras referentes a él, continuaron inconscientes de su presencia.

Noruega produce la energía eléctrica más barata del mundo; de modo que la gente de allí nunca se preocupa de apagar las luces, y las mantienen encendidas día y noche. Su electricidad es generada por los muchos ríos y las cataratas del país.

Hace siglos, los vikingos vivían en esa misma tierra, pero usaban velas. No utilizaban la electricidad que tenían a su disposición porque eran inconscientes de su potencial.

Pablo oraba pidiendo que pudiéramos experimentar toda la plenitud de Dios según el poder que actúa en nosotros; sin embargo, nosotros cantamos: "Heme aquí con ardiente sed". ¡Qué ridículo! Estamos pidiendo algo que ya tenemos; y todo porque no somos conscientes de ello.

Me gustaría que el pueblo de Dios, de alguna manera cambiáramos esta situación; porque el mundo está esperando que nos despertemos para poder compartir con él, no una doctrina, sino una vida.

Cristo se encuentra en nosotros todo el día; no obstante nosotros pensamos que sólo está en nuestras reuniones. Así que vamos a éstas para sentir su presencia. Actuamos como si se hallara en el techo del edificio de la iglesia. Cuando entramos allí, nos imaginamos que podemos tirar de él y bajarle con nuestras canciones. De modo que después de cantar dos o tres de esos cánticos "bonitos", él desciende y nos bendice; subiendo luego otra vez a donde estaba hasta el próximo domingo, cuando volvemos a sentir su presencia.

Hay gente que va de una "bonita" reunión a otra para experimentar esa presencia. Pero tales personas no están viviendo por la fe; ya que Pablo dijo que hemos de experimentar que Cristo mora en nuestros corazones por la fe —siendo así constantemente conscientes de su presencia.

Existe mucha confusión en cuanto a lo que es realmente la presencia de Dios. Si el coro canta bien, el organista interpreta hermosamente, el pianista se distingue, y el pastor predica en tono inspirado, decimos: "¡Qué sensación había hoy de la presencia de Dios!"

Pero si el coro pierde el tono porque no ha venido el organista, y el pastor olvida sus notas, expresamos: "Al culto de hoy le faltaba realmente la presencia de Dios".

De ninguna manera, lo único que se echaba de menos era la presencia del organista, no la de Dios. Esta no tiene nada que ver con el que toca el órgano, el pianista o el pastor. Contamos con la presencia de Cristo dentro de nosotros venga o no venga el organista. Tampoco depende la misma de que el coro cante bien o no.

Nosotros cantamos: "Hay un río de vida que fluye de mí". ¿De dónde viene ese río de vida? No es de la hermosura de las canciones, ni de la atmósfera del culto, sino de dentro de nosotros mismos —no necesitamos cosas externas para que dicho río fluya.

El autor del libro de Hebreos dice que todas estas cosas externas han de ser conmovidas, y que sólo lo inconmovible quedará; de manera que ándese con ojo si depende usted de ellas para tener un sentido de la presencia de Dios. Tales cosas podrían ser sacudidas, y nosotros perder el órgano y el coro, el edificio, el pastor, y todo lo demás. Pero Cristo permanece para siempre.

No se apoye en las cosas movibles; sino en el inconmovible reino de Dios, que está en su corazón porque Cristo vive en él. Todo el resto no es más que una capa de azúcar o adornos.

Gracias al Señor por esos lujos: grupos de canto, edificios, órganos y pianos. Gracias también por ese otro de contar con personas de talento que pueden venir y cantar para nosotros. . . Pero tales cosas quizás terminen algún día. Tantos grandes ministerios, e incluso el pastor que usted tiene, pueden dejar de existir; pero Cristo todavía estará dentro de usted.

¿Se ha dado cuenta alguna vez de que Pablo tenía la misma actitud ya fuera que estuviese en el púlpito o en la cárcel?

El hubiera podido disfrutar tanto del órgano, del piano y de las dos banderas, como el calabozo y el cepo. Para Pablo todo era lo mismo. Podía cantar en ambos sitios; incluso teniendo los 39 azotes sobre su espalda.

¿Por qué podía hacerlo?

El hablaba de "el Dios a quien sirvo en mi espíritu". Lo que para Pablo constituía la adoración no era la atmósfera, el edificio, el órgano, las velas, etc.; él adoraba en su espíritu sin necesidad de todas esas cosas. También nosotros necesitamos acostumbrarnos a pasarnos de las mismas para concentrar nuestra atención solamente en Cristo —el Rey que gobierna dentro de nuestro espíritu.

Andar en el Espíritu significa estar continuamente conscientes de su presencia.

Suponga que yo fuera a visitarla a usted mañana. Llamo a la puerta, pero nadie abre; sin embargo escucho y oigo ruidos dentro de la casa.

"Ahí dentro hay alguien —digo para mí—, pero no quieren abrirme la puerta".

Entonces aporreo verdaderamente la misma; pero sigue sin haber respuesta. De modo que abro y paso al interior: Y allí está usted.

—Hola —digo—. Buenos días.

Usted no responde; en cambio se va a la cocina. Así que yo la sigo allí.

—He venido a visitarla —le explico.

Pero usted me ignora y empieza a pelar las patatas. Luego, una vez que ha terminado, se marcha a otra habitación y comienza a limpiarla.

Yo la sigo nuevamente.

A continuación va usted al supermercado, y allá que marcho yo detrás. Entra en el banco, y yo lo hago también; pero usted no me presta ninguna atención.

La sigo durante todo el día, y sin embargo usted ni siquiera me dirige la palabra.

Al día siguiente vuelvo a su casa. La acompaño a lo largo de toda la jornada, y usted todavía continúa sin hacerme caso. Actúa como si estuviese completamente inconsciente de mi presencia.

El domingo, sin embargo, viene usted a los cultos y me encuentra allí: —Oh, hermano Ortiz —expresa—, ¿cómo está usted? ¡Qué contenta estoy de verle!

Actúa como si no me hubiera visto por mucho tiempo.

—¿Qué le pasa? —pregunto— ¡He estado con usted durante toda la semana!

Esto es lo que hacemos con Jesús. El está con nosotros toda la semana; pero esperamos hasta el domingo para sentir su presencia. Le tratamos como si no se hallase todo el tiempo con nosotros; y tengo que decirle a usted que ese tipo de religión es herejía —algo completamente opuesto al Nuevo Pacto.

Cuando Jesús viene a la iglesia no es sólo para estar allí una hora o algo más los domingos; sino para disfrutar de una comunión continua con nosotros cada día de la semana. Una vez que ha venido, jamás nos deja: estamos con él en la iglesia las veinticuatro horas del día.

Ya es tiempo de que tomemos consciencia de su presencia con nosotros.

Capítulo 6

BUENOS DIAS, SEÑOR

Cuando estudiaba en la escuela bíblica, se me dijo que para andar en el Espíritu debía apartar una hora cada mañana con objeto de orar y leer la Biblia.

A fin de estar listo para comenzar mis oraciones a las seis de la mañana, tenía que levantarme a las cinco; y lo hacía. Día tras día salía a rastras de la cama para orar y leer la Biblia durante una hora.

Pero una vez no pude hacerlo —sencillamente estaba demasiado cansado para levantarme—, y ¡a lo largo de toda la jornada me sentí culpable!

Sin embargo, llegó el día en que descubrí que Cristo vive en nosotros, y que podemos gozar de un diálogo continuo con él.

Al principio, cuando empecé a tener comunión con el Señor durante todo el día, seguía poniéndome de rodillas a las seis de la mañana, como de costumbre; pero la diferencia estaba en que al incorporarme seguía hablando con él.

Cierto día, tras levantarme después de mi período devocional matutino, Jesús me preguntó: "¿Por qué te arrodillas ahí? Acaso no hablas conmigo durante todo el tiempo, incluso si no estás de rodillas?"

Entonces empecé a darme cuenta de que cuando hablaba con Jesús a lo largo de todo el día, aquello formaba para mí parte de la vida real: era una relación con sentido. Pero el orar una hora cada mañana no suponía vida para mí; sino que era estar atado a una religión. Disfrutaba de mi conversación con Jesús durante toda la jornada; sin embargo el tiempo devocional lo tenía como una obligación.

Creo que hay muchísimas personas esclavizadas a un sistema religioso en sus vidas diarias porque no entienden que andar en el Espíritu es estar continuamente conscientes de la permanente presencia de Cristo dentro de nosotros.

Hoy me doy cuenta de que tengo una actitud como para mantener un diálogo continuo con él.

Tan pronto como me despierto por la mañana, me desperezo y bostezo; luego digo: —Buenos días, Señor Jesús. ¿Cómo estás? (¡Esto mientras todavía me encuentro en la cama, no de rodillas!)

—Muy bien —me contesta—, ¿y tú Juan?

—Magníficamente —respondo—; he dormido muy bien esta noche.

—Ya lo he visto.

—Señor —expreso—, me parece que voy a quedarme en la cama unos pocos minutos más.

Como es mi amigo, y quiere que el día me vaya bien, me insta:

—Levántate, Juan. Sabes muy bien que cuando te quedas en la cama luego terminas corriendo. ¿Por qué vas a estropear la mañana con las prisas? Estás despierto, ¿no? Levántate y podrás disponer de mucho tiempo.

—Sí Señor, pero... —Vamos, levántate. Tal vez el domingo puedes quedarte durmiendo; pero hoy sal de la cama para que no tengas luego que correr.

De modo que me pongo en pie y voy al cuarto de baño para ducharme. Mientras lo hago continúo dialogando con él.

—Señor —le digo—, entretanto que me lavo por fuera, ¿no podrías limpiarme tú por dentro?

—¡En verdad lo necesitas, Juan! —me contesta.

Cuando acabo mi ducha él comienza a enseñarme a ser un buen esposo. Ya que he dejado un charco de agua en el cuarto de baño, me dice: —Juan, seca el suelo; ahí tienes la esponja. Limpia también el lavabo.

—Señor —aduzco— mi esposa puede hacerlo después. Ella dispone de más tiempo... —Hazlo tú mismo, Juan —me ordena—. Vamos, quiero enseñarte a ser un buen esposo.

—Sí Señor —y me pongo a limpiar aquel desaliño.

Luego, él me pregunta: —¿Cómo te sientes ahora?

—Extraordinariamente, Señor. El mostrar amor hacia otros produce de veras un sentimiento agradable.

Entonces vuelvo al dormitorio y me digo a mí mismo: —Veamos qué ropa me pongo hoy. Llevaré estos pantalones grises con la chaqueta azul. Vaya, pero esta chaqueta azul está arrugada. ¿Y qué tal la marrón? No, no pega con los pantalones grises. Bueno, me pondré los de color marrón.

Para entonces ya tengo varias prendas extendidas sobre la cama, y planeo dejarlas ahí para que mi esposa las guarde.

De nuevo el Señor me dice: —¡Juan!

—¿Sí?

—Cuelga esa ropa.

—Pero mi esposa puede hacerlo... —Hazlo tú mismo.

—Sí, Señor.

De manera que vuelvo a colgar todas las prendas donde estaban, y la habitación recupera su aspecto ordenado.

—¿Cómo te sientes ahora?

—Muy bien, Señor, realmente bien. Oh, es hora de partir como un rayo hacia la oficina o perderé el autobús.

Estoy a punto de salir por la puerta, cuando el Señor me dice: —Juan Carlos.

—¿Sí?

—No has dado un beso a tu esposa.

—Pero Señor, es tarde... —Ven, hazlo; o ella estará resentida el resto del día.

—Hasta luego, queridita —digo a Marta—, me voy.

Y al salir me detengo un momento para besarla.

—Vaya —me dice aliviada de ver que no me olvido de ella—, creía que ibas a marcharte sin darme ni siquiera un beso.

—Gracias, Jesús —susurro, agradecido de que él sepa mostrar amor en todas esas pequeñas cosas que son importantes para las mujeres.

Cuando la gente me oye hablar de mis conversaciones con Jesús, pregunta: —¿Y cómo encuentra usted qué decirle?

¿Piensa acaso que Jesús viene a nuestros corazones sólo para hablarnos acerca del bautismo o del milenio? Claro que no. El quiere enseñarnos a vivir —a ser esposos amantes y buenos padres—; de modo que habla conmigo durante todo el día, y yo con él. Conversamos sobre cada asunto.

Si escuchásemos la forma que muchos de nosotros tenemos de orar, comprenderíamos que no conocemos realmente a Jesús como nuestro mejor amigo.

Cuando uno tiene un amigo, habla con él mientras comparte las cosas corrientes de la vida. Su vocabulario, sus frases y los temas que trata son diferentes si está en su compañía que cuando se encuentra con alguien a quien sólo ve ocasionalmente. Con un amigo, se deja de lado el protocolo y se tiene un trato íntimo.

Si usted posee vida en vez de religión, sus relaciones con Jesús serán íntimas; ya que está usted creciendo en su amistad. Lo que hable con él será nuevo cada día.

Yo era un pastor soltero, y Marta uno de los miembros de mi iglesia. Cierto domingo por la mañana, después del culto, salí del edificio de la iglesia y me encontré con ella en compañía de un grupo de chicas.

—Marta —expresé—, me gustaría hablar con usted en privado si es posible.

—¿Quiere decir ahora? —preguntó.

—Bueno, pienso que estaría bien hacerlo ahora —fue mi respuesta.

—Claro, pastor.

Marta vino a mi oficina, y le dije: —Hermana Marta, me pregunto si ha notado que siento algo diferente hacia su persona que hacia el resto de las hermanas de la iglesia.

Ella se puso pálida.

—No... pastor —balbuceó—; no lo había notado.

—Bueno —expresé yo—, me gustaría que empezase usted a hacerlo.

Ahora, suponga usted que después de mi conversación con Marta aquel primer domingo por la mañana, hubiera vuelto a decirle al siguiente domingo: —Hermana Marta, me pregunto si ha notado que siento algo diferente hacia su persona que hacia el resto de las hermanas de la iglesia.

Y un domingo más tarde: —Hermana Marta, me pregunto si ha notado... —¡Cállese! —me habría gritado.

De haber sido así, nunca nos hubiéramos casado ni criado cuatro hijos; porque una relación no puede desarrollarse cuando utilizamos siempre las mismas palabras protocolarias.

Eso se lo dije sólo la primera vez. Desde entonces creció nuestra amistad; y ahora no tengo que repetir aquellas mismas cosas, porque hablamos, tenemos comunión, y estamos enamorados el uno del otro. Entre nosotros se ha desarrollado una grandísima intimidad en la cual lo compartimos todo.

Pero escuche las oraciones de muchos en los cultos —año tras año dicen lo mismo—: "Amado Padre celestial, venimos a tu presencia esta mañana; te damos gracias por esta reunión; te pedimos que estés con los que no han podido venir; nos acordamos de las viudas, de los misioneros. . .".

¿Cómo podemos decir siempre las mismas cosas al Señor en nuestras oraciones? El debe sentirse aburrido con todo ese protocolo. Algunas veces pienso que tiene que preguntarse: "¿Es una cinta "cassette" o lo dice la persona misma?"

Dios es el Padre de usted, y Jesús su hermano; ¡El vive en su interior! Cristo desea experimentar esa relación con su persona, no escuchar su religión.

La iglesia es la novia de Cristo; mantenemos una relación con alguien que ha de ser nuestro esposo. Estamos enamorados de él, y él es nuestro mejor amigo. Uno de los himnos que cantamos, dice: "El vive, él vive, hoy vive el Salvador; conmigo está. . .". ¿Es esa realmente su experiencia? ¿Anda y habla usted con él en todas las situaciones de la vida?

Muy a menudo voy al supermercado a comprar. Si es usted como yo, cuando lo hace tendrá la tendencia a adquirir muchas cosas que no necesita. Al ver algo en uno de los estantes, me digo para mí: "Lo voy a comprar".

Mientras lo hago, Cristo todavía se halla dentro de mí, y me dice: —No necesitas eso, Juan.

—Gracias, Señor —le respondo.

¿Ve? El me ayuda a comprar; y lo mismo hará con usted si presta oído a su voz.

En algunas ocasiones oigo un chisme: —El hermano tal y tal, ese tremendo predicador. . . —y allá que sale cierto rumor escandaloso acerca de dicho hermano.

—¡No! —digo yo.

—Sí —me asegura la otra persona.

Un momento después estoy con otro hermano: —¿Sabes lo que ha pasado con tal y tal?. . . En ese momento, una voz me habla: —No lo digas.

Antes de saber que se trataba de la voz de Jesús, yo seguía adelante y decía todo lo que pensaba decir; y luego me sentía mal. Pero he aprendido a escuchar esa voz y a obedecerla: eso significa ser obediente a los mandamientos del Señor bajo el Nuevo Pacto.

No puedo contarle a usted acerca de muchas de mis conversaciones con Jesús, porque se escandalizaría. Muchos de ustedes no creerían que hablo realmente con él como lo hago. Pero cuando existe una profunda amistad entre dos personas, la intimidad permite compartirlo todo.

Jesús está con nosotros todo el tiempo; no sólo para perdonar nuestros pecados —lo cual también hace—, sino para impedir que caigamos. Si tuviéramos una comunión constante con él, la santidad nos vendría muy fácilmente.

Tal vez diga usted: —Hermano Ortiz, ¿cómo sabe que es Jesús quien le habla? También la carne puede hablarnos, y Satanás. . . Escuche: Si no sabemos esto, no sabemos nada; ya que los hijos de Dios son aquellos que son guiados por el Espíritu.

El Señor prometió: "Pondré dentro de vosotros mi Espíritu; y haré que andéis en mis caminos". Y Jesús dijo: "El Espíritu de verdad os guiará a toda verdad. . . os enseñará todas las cosas".

Si la manera que tiene de hablar con nosotros no es todo lo clara que puede ser, sus promesas no tienen sentido.

Capítulo 7

JESUS NOS HABLA POR MEDIO DE NUESTRAS CONCIENCIAS

Hace varios años, leí algunos libros que contenían verdades maravillosas; pero en ciertos puntos me crearon confusión.

El autor hablaba del espíritu, el alma y el cuerpo. El alma y el cuerpo, explicaba, constituían el hombre exterior; y el espíritu, el interior. Cristo mora en nuestro espíritu: en el hombre interior.

Mientras leía acerca del hombre exterior e interior, empecé a inquietarme; porque no comprendía realmente el asunto desde un punto de vista práctico.

Cierto día, me sentí tan intranquilo que dije: "Señor, tengo que saber más sobre esto; porque si no, no sé nada".

De modo que incliné la cabeza sobre el escritorio, y oré: "Quiero entender lo que es mi carne, lo que es mi alma y lo que es mi espíritu". No tenía ningún problema con la carne, ya que podía tocar mi cuerpo físico; y también sabía que el alma era la inteligencia: mi capacidad de pensar y sentir.

"¿Pero dónde está mi espíritu?" —me preguntaba a mí mismo. Podía distinguir mi cuerpo y mi psiquis; pero no mi espíritu. No era capaz de encontrarlo.

El alma y el espíritu son muy próximos; sin embargo hay una diferencia entre ambos —ya que las Escrituras dicen que la Palabra de Dios parte (o separa) el alma y el espíritu. Pero cuanto más intentaba comprender lo que era el alma y lo que era el espíritu, tanto más confuso me encontraba.

Otro día, me dije para mí: "Voy a empezar de la forma contra-

66

ria; y en vez de utilizar el método deductivo, emplearé el inductivo comenzando desde dentro".

De manera que me pregunté a mí mismo: "¿Cuál es la cosa más interna de la que soy consciente?"

La parte más privada e interior de mi ser que conocía era mi conciencia; y decidí buscar en la Biblia lo que ésta decía de la conciencia.

Intente esto alguna vez. Haga un estudio bíblico de la conciencia; y descubrirá que es el espíritu del hombre.

Dios hizo dentro de nosotros una habitación para Sí; es nuestra conciencia. El Nuevo Testamento utiliza las palabras "conciencia" y "espíritu" de forma intercambiable. Pablo, por ejemplo, dice: "Sirvo a Dios con limpia conciencia". Y también: "El Espíritu da testimonio a nuestra conciencia".

Cuando hablo de la conciencia todo el mundo sabe a lo que me refiero; pero si digo el "espíritu", no está muy claro lo que quiero dar a entender. No obstante, si nuestro espíritu constituye el centro desde el cual debe dirigirse nuestra vida, hemos de saber claramente lo que es. De manera que yo descubrí que la conciencia es nuestro espíritu.

Ahora bien, alguien me dirá inmediatamente: "Hermano Ortiz, usted no puede ser guiado por su conciencia; porque la conciencia de cada uno le dice algo diferente".

Hace un momento expliqué que la conciencia es una habitación para que more Dios mismo. Cuando él no está presente, ésta toma la forma de todas las otras cosas que introduzcamos en ella.

Si usted crece en un país budista, su conciencia toma una forma budista, y le dicta una manera budista de pensar. Si se cría en una familia católica, su conciencia es moldeada por la fe católica. Un hermano católico no tiene problema en arrodillarse delante de una imagen que representa a un santo y honrarla; porque su conciencia se lo permite.

La conciencia de usted siempre adoptará el contexto en que usted vive. Si está en una casa en la que se halla expuesto continuamente a las imprecaciones y al robo como forma de vida, crecerá aceptando tales cosas como normales.

La conciencia de nuestros hijos es moldeada de tal manera hoy en día por los colegios, que algunos jovencitos expresan: "Pero papá, las relaciones sexuales libres son perfectamente normales".

En cierta ocasión, en Buenos Aires, iba en un taxi, y el taxista era muy parlanchín.

—Yo solía tener un apartamento para mi amiga —explicaba—; pero ya no puedo permitírmelo a causa de la inflación. No sé a dónde vamos a llegar con todos estos problemas económicos.

Y pasó los diez minutos siguientes contándome todas las cosas que hacía en aquel apartamento. Por fin le dije: —Escuche, ¿piensa usted que todo el mundo es como usted?

—¿Qué quiere decir? —expresó mirándome de una manera más bien curiosa.

—Quiero decir que cuando me casé con mi esposa, ella fue la primera mujer que conocí; y la conocí el primer día de casados. Nunca he tenido relaciones con ninguna otra.

Me miró como diciendo: "¿De qué planeta es usted?"

A él le parecía bastante normal tener una mujer "extra", porque así había sido moldeada su conciencia.

Yo fui criado en una iglesia pentecostal; así que la mía estaba conformada según la doctrina pentecostal.

Desde luego no podíamos fumar ni beber; ni nos estaba permitido escuchar la radio. Se consideraba correcto ir a nadar siempre que uno llevara toda la ropa puesta; pero ya que aquello no hubiera resultado demasiado cómodo, y era pecado ponerse un traje de baño, nunca lo hacíamos.

Tampoco se nos dejaba silbar. Así que jamás aprendí a hacerlo; y ni siquiera hoy puedo. De haber intentado dar un silbido, mi conciencia me hubiera acusado, ya que había sido moldeada de aquella forma. Tal vez esto le haga reír; pero también usted fue conformado de alguna manera indebida.

Tenemos en la iglesia hoy dos extremos que afectan nuestro modo de vida. La primera es, que cuando cae en pecado sabe que todavía será salvo; ya que cree en la doctrina de "una vez salvo, siempre salvo". Y la otra es aquella que nos dice que usted puede caer y perderse; necesitando ser salvo otra vez, cada día.

La Biblia declara que la sangre de Jesucristo limpiará nuestras conciencias de obras muertas. Un día comprendí que, al igual que la gente del mundo necesitaba ser limpiada de la adicción a las drogas, del abuso sexual, y de cualquier otro tipo de pecado, yo tenía necesidad de serlo del pentecostalismo.

Mi conciencia no fue hecha para el pentecostalismo, como tampoco la suya para el presbiterianismo o cualquier otra religión en la que haya estado involucrado. El propósito de la conciencia era que Jesucristo pudiera morar en ella —fue creada para ser habitada por una Persona; —no por un concepto.

Desde que pedí a Jesús que me limpiara, empezó a obrar en mí. La primera cosa que sucedió fue que comencé a amar a todo el mundo. Antes no tenía amor a los católicos —de hecho predicaba en contra de ellos—. Pero cuando dije: "Jesús, límpiame", empecé a amarlos; y como resultado de esto, ellos empezaron a recibirme.

Jesús nos habla a través de nuestras conciencias.

Estamos construidos con un sistema de comunicaciones interior, y la conciencia se encuentra ahí para hablarnos. De hecho ésta se expresa mucho más rápida que la mente. Antes de que el cerebro comprenda, la conciencia ya ha dicho: "¡No!", o "Sí". A eso es a lo que llamamos intuición.

Cuando pedimos a Jesús que entre en nuestro corazón, su Espíritu se hace uno con nuestro espíritu: toma el control de nuestra intuición. De manera que si voy a criticar a alguien, él me dice: "No lo hagas".

Luego, uno que me estaba escuchando, expresa: —¿Qué iba a decir acerca de tal y tal, hermano Ortiz?

—Oh —contesto—, sólo que es una persona maravillosa.

Entonces, en mi corazón profiero: "Gracias, Señor. ¡Aleluya! No lo he dicho". Y me siento bien interiormente porque he hecho caso a la voz del Maestro cuando me hablaba a través de la intuición.

El problema consiste en que mezclamos nuestra conciencia con la mente. De manera que cuando la conciencia dice: "Da cien dólares", pasamos la orden a nuestra oficina para que la apruebe —la meditamos en el cerebro.

Ahora bien, mi mente dice: "Ya has dado cien dólares a esa persona, ¿no lo recuerdas? Y no los utilizó como es debido. ¿Por qué habrías de dárselos esta vez? Mejor será que no le des nada".

Entonces decido hacer esto último y apago el Espíritu.

Apagar el Espíritu no es únicamente decir a una persona que

está hablando en lenguas: "Calla"; sino desobedecer a esa voz interior.

Estamos casados con Jesús, nuestro esposo, que vive dentro de nosotros y nos ayuda en todos los aspectos de la vida hablándonos por medio de la intuición; de manera que si obedecemos a su voz interior, estamos viviendo en su voluntad: "Porque todos los que son guiados por el Espíritu de Dios, estos son hijos de Dios" (Romanos 8:14). Eso es lo que significa andar en el Espíritu: ser guiados por Cristo a través de nuestra intuición.

El Domingo de Pascua por la mañana, una mujer cantó ese hermoso himno, al que ya nos hemos referido, que dice: "El vive, él vive, hoy vive el Salvador; conmigo está y me guardará mi amante Redentor. El vive, él vive, imparte salvación. Sé que él viviendo está porque vive en mi corazón".

Todo el mundo aplaudió la forma maravillosa en que lo interpretó; y después del culto, otra señora se la acercó, y le dijo: —Hermana, ¿y qué le ha hablado él recientemente?

—¿Qué? —expresó la cantante con aire confundido.

—Sí, ¿qué le dijo la última vez que habló con usted? —insistió la otra.

—¿Pero de qué está usted hablando?

—Le pregunto cuál fue su tema de conversación con él la última vez que hablaron ustedes dos.

—¿Con quién?

—Con Jesús. ¿Acerca de qué hablaron?

—¿Qué. . . ? ¿Yo hablar con Jesús? ¡Está usted loca! Jesús no me ha hablado. Tenga cuidado, hermana. Si piensa que él conversa con usted. . . eso es peligroso: podría tratarse de su carne, o de Satanás. Así se puede extraviar a la gente. Unicamente deberíamos leer la Biblia y seguir sus enseñanzas.

No es extraño que no podamos convencer a los inconversos de que Jesús es el camino, la verdad y la vida.

En cierta ocasión estuve en la catedral de Lincoln, Inglaterra. Se trata de un tremendo edificio de aproximadamente doscientos metros de largo y con un órgano en el centro. Además, los ingleses saben de veras cómo hacer la liturgia. Tanto el coro como los ministros estaban todos engalanados con largas togas.

Yo tenía que elevar una oración durante el culto, de manera

que pensé para mí: "Con esta catedral, y toda esta ceremonia. . . voy a hacer una oración hermosa".

Más tarde, poniéndome en pie, expresé: —Oh Padre altísimo y santo, vengo a tu presencia en esta mañana. . . Entonces él me dijo: —Juan, ¡cállate! Hemos estado hablando durante todo el día y ahora me vienes con esas: "Padre altísimo y santo. . .".

—Escucha, Señor —le respondí—: Déjame terminar esta oración oficial, y luego seguiremos con nuestras conversaciones; pero no puedo pararme en medio de ella ahora que he comenzado.

—Está bien, sigue —dijo (comprendiendo que me encontraba en un apuro).

Jesús está cansado de protocolo. Todos los "Padrecelestiales" y "Oh altísimos" salen del Antiguo Pacto. Pero nosotros somos la esposa de Cristo. Yo jamás diré a mi mujer: "Oh celestial Marta, vengo a tu presencia. . .".

Dios tiene hambre de amistad. Desea sentarnos sobre sus rodillas y que le llamemos "Papá" —ese es el significado de *Abba*: "amistad con Jesús; comunión divina".

Quiero demostrar que Dios le habla a usted.

Tome una hoja de papel y dibuje dos líneas en la misma para poder dividirla en tres columnas; luego trace otra línea horizontal en la parte de arriba. Encima de esta última, escriba tres títulos: uno sobre cada columna. Sobre la primera, ponga: "Dios dijo"; encima de la segunda: "Yo hice"; y sobre la tercera: "Resultado". Haga esto al levantarse por la mañana.

De manera que cuando usted se ducha y moja el suelo del cuarto de baño, si Dios le dice: "Toma la esponja", póngalo en la primera columna.

Luego escriba: "Lo hice".

Bajo la tercera columna: "Gozo y paz".

Si mientras se está usted vistiendo, Dios le manda: "Cuelga esas chaquetas", apúntelo.

A continuación, ponga: "Las colgué".

Y, debajo de resultado: "Gozo y paz".

Entonces, bajo "Dios dijo", escriba: "Vuelve y da un beso a tu esposa".

En la segunda columna, anote: "No lo hice".

Resultado: "Ninguno —consecuencias".

Dios dijo: "No digas eso a tu hermano". "Yo lo dije". Resultado: "Desasosiego".

No pretenda que no sabe de lo que estoy hablando.

Usted es perfectamente consciente de que Dios se comunica con usted de esta manera. El problema es que en nuestro sistema religioso se nos enseñó que la única forma en que él lo hace es a través de la Biblia. Pero la Biblia nos dice lo que yo estoy diciéndole a usted: en ella encontramos todo tipo de historias acerca de que Dios habla con la gente. También afirma que hablará igualmente con nosotros.

Sin embargo, cuando el Espíritu le manda: "Limpia el cuarto de baño", usted responde: "¿Dónde dice en la Biblia que yo tenga que limpiar el cuarto de baño?"

O si le ordena: "Da cien dólares a ese hombre"; usted contesta: "La Biblia dice que no es por obras, sino por la fe".

Si se encuentra usted solo, no tiene ningún teléfono cerca, y ha de tomar una decisión, haga lo que le dice esa voz interior.

Pero déjeme darle un consejo: Usted no es independiente —pertenece a una familia de creyentes—. Si cree que el Señor le está diciendo que venda su casa y dé el dinero a un ministerio, el mismo Cristo en sus hermanos les hablará a ellos lo propio; de modo que pídales una confirmación. El comparar con otros con quienes se tiene comunión y que viven bajo la misma dirección interna del Espíritu es sencillamente un asunto de seguridad.

No le estoy comunicando ninguna filosofía; sino algo que es vida para mí —que da buenos resultados—. Así que no cante: "El vive, él vive, hoy vive el Salvador. . ." sólo porque está en el himnario; más bien hágalo porque sabe que vive en su corazón.

Usted podrá encontrar todo tipo de faltas en lo que estoy diciendo. Somos humanos, y ninguno de nosotros anda en el Espíritu perfectamente; pero reciba la esencia de mi mensaje y comience a escuchar usted mismo al Espíritu Santo.

Seguro que cometerá errores —todos los hacemos—; pero poco a poco aprenderá a andar en la voluntad de Dios, según Jesús le guíe por medio del Espíritu que mora en usted.

Capítulo 8

GUIAR ES VIVIR, NO SOLO PROFESAR

Hay muchísima gente que nunca va a la iglesia; pero me he dado cuenta de que muchas de esas personas irían a Jesús. No están en contra de Cristo; lo que no quieren es entrar en nuestro sistema eclesiástico. Nosotros hemos complicado algo que debía ser muy sencillo.

Naturalmente, los que estamos en este confuso sistema religioso nos acostumbramos al mismo; pero eso no significa que sea bueno. Los de dentro representamos una minoría, y todas nuestras reglas hacen muy difícil el comprender para los que están afuera; sin embargo, ellos son la mayoría.

Yo creo que las cosas de Dios son mucho más fáciles y sencillas de lo que las hemos hecho.

La vida en el Espíritu tiene que ser fácil, a fin de que la persona más corriente pueda vivirla. Ha de ser algo natural, que no se necesite leer un montón de libros para comprenderlo. Tampoco puede tratarse de una cosa que nos aterre con la advertencia: "Cuidado, esto podría llevarte al misticismo; es peligroso".

Al entrar en la forma de vida de Dios, no lo estamos haciendo en algo nuevo y extraño que sea ajeno a nuestra naturaleza humana. Se trata de la manera normal de vivir para el hombre. La vida del Espíritu es la que Dios quiso que viviera cada uno de los seres humanos desde el principio mismo; en armonía con todas las leyes naturales del universo. Se trata de una cosa muy normal.

A Abraham se le llama el padre de los creyentes; el modelo de todos aquellos que nos encontramos en el camino cristiano. ¿Y qué clase de relación tenía él con Dios?

Era una relación muy normal, no una religión; se trataba de algo muy natural, muy simple.

Cuando Abraham tenía comunión con Dios, decía cosas como: "Mira Dios, tú no me has dado hijos, y mi heredero va a ser un esclavo nacido en mi casa. Vamos, Señor, haz algo al respecto".

Para él resultaba muy natural hablar con Dios de esta manera; porque la relación entre ellos era la de dos amigos. Las Escrituras llaman a Abraham el amigo de Dios.

La cosa más complicada que hizo Abraham fue construir un altar sobre el cual pudiera ofrecer sacrificios; sin embargo, para él aquello era algo espontáneo y natural. ¿Y dónde lo construyó? Estaba acostumbrado a hablar con Dios en cualquier sitio; y cuando le quiso dar gracias de un modo especial, lo hizo en su jardín.

En nuestra situación, aun la necesidad de un altar ha desaparecido; ya que Jesús ofreció un solo sacrificio para siempre. La parte complicada de la comunión de Abraham con Dios acabó en la cruz. No hay complicaciones en absoluto para aquellos que viven hoy en el Espíritu —nosotros tenemos la vida más natural y sencilla posible.

Algunos siglos después de Abraham vino la ley; que supuso la fundación de la religión judía. A nosotros la ley nos parece muy complicada, y nos preguntamos cómo un Dios de simplicidad pudo ser el origen de ese sistema tan complejo.

Pero debajo de aquellas complicaciones de la ley se escondía una forma de vida muy sencilla. De hecho las únicas complicaciones reales eran los sacrificios y el sistema del templo; y nosotros podemos omitir todo eso, ya que Jesús fue el Cordero de Dios en persona: el sacrificio perfecto. Consideremos entonces la enseñanza de la ley.

Lo simple que dicha enseñanza era en esencia, se desprende de Deuteronomio 6:6, donde Dios decía: "Y estas palabras que yo te mando hoy, estarán sobre tu corazón; y las repetirás a tus hijos, y hablarás de ellas estando en tu casa, y andando por el camino, y al acostarte, y cuando te levantes. Y las atarás como una señal en tu mano, y estarán como frontales entre tus ojos; y las escribirás en los postes de tu casa, y en tus puertas".

Se trataba de algo para la vida entera, para el vivir diario. Afectaba a sus hogares, sus trabajos, sus paseos por el campo, e incluso lo que hacían en sus alcobas.

"Enseñarás mis caminos" —dijo Dios. ¿Y dónde habían de enseñarlos?

—¿En la Escuela Dominical?

No.

—¿Los domingos a las diez de la mañana?

No.

Escuche: "Estando en tu casa y andando por el camino, al acostarte, y cuando te levantes por la mañana". ¿Qué significa eso?

¿Ve usted? Aun bajo la ley, Dios tenía en mente una forma de vida, y no una religión. El quería que su camino fuera la vida de ellos. Habían de enseñar aquellas cosas a sus hijos. ¿Y quién tenía que hacerlo? El padre y la madre; no el maestro de la Escuela Dominical. No debía tratarse de un asunto complicado: con clases, libros y maestros; sino de una parte de la vida normal transmitida por los progenitores.

¿Y cuándo habían de enseñar? Continuamente. No sólo los domingos por la mañana, antes bien en todo momento.

Puede que hoy la educación que se da en la Escuela Dominical sea muy necesaria; ya que en sus hogares los niños no reciben lo que deberían estar recibiendo. Y puesto que los pequeños se encuentran desnutridos, necesitamos un hospital donde ingresarlos los domingos por la mañana. Hemos de proporcionarles una cámara de oxígeno y un médico especialista para que les administre inyecciones de vitaminas bíblicas porque en sus hogares no se les nutre.

Mandamos a algunas personas a los seminarios para darles una educación cristiana; y dichos seminarios son también como hospitales. Si la gente estuviera completamente sana y nunca se pusiese enferma, no necesitaríamos hospitales, doctores o universidades en las cuales estudiar la cura de enfermedades.

Todos nuestros sistemas están dirigidos a cómo curar tal o cual dolencia espiritual, porque los hogares no educan como debieran. Enseñamos a nuestros hijos a utilizar el cuchillo y el tenedor; pero no les instruimos en la vida cristiana. Y no quiero decir instruirles en un sistema religioso; sino que vean la manera en que se vive una vida cristiana observándonos a nosotros.

Esto supone un problema; ya que en muchos hogares los padres no guían, sólo profesan.

Guiar es vivir, y no únicamente profesar.

Enseñar no es dar lecciones; sino vivir la vida.

Los niños tienen que ir a la Escuela Dominical para aprender que no deberían pelearse. ¿Por qué? Porque mamá y papá se pelean en casa. Papá hurta lápices de la oficina y los lleva al hogar para escribir con ellos; de manera que los hijos han de ir a la Escuela Dominical para aprender que no deben robar.

Mamá y papá se ponen irritables y de mal humor, ¿dónde aprenderán los niños a no ser así? ¡En la Escuela Dominical! Y esto engendra otro problema: porque también puede que el profesor tenga un mal carácter durante la semana, ¡aunque no el domingo!

Muchos de nosotros estamos envueltos en un sistema religioso que no es real, sino sólo un juego. Las reuniones de la iglesia no constituyen la parte más importante de nuestras vidas espirituales. Lo más substancial son esos días intermedios en la oficina y el hogar, y no las dos horas por semana que estamos en el edificio de la iglesia.

Aun en el tiempo de la ley, antes de la revelación de Jesucristo, él dijo a los israelitas que tenían que enseñar sus caminos a sus hijos continuamente. Aquella debía ser una forma entera de vida, desde el momento en que se levantaban hasta que se iban a la cama; un proceso ininterrumpido de enseñanza por medio del ejemplo.

El centro de la vida cristiana estaba destinado a ser el hogar, y no nuestras organizaciones religiosas y sistemas eclesiásticos. Necesitamos preparar a la iglesia para que vuelva a poner las cosas en su debida perspectiva.

Sí, lo único complicado bajo la ley era el sistema del templo y de los sacrificios; y ahora no necesitamos hacer esas cosas. Jesús ofreció un sacrificio suficiente y eterno, aboliendo todos esos rituales. Lo que Dios tenía en mente desde el principio era una forma de vida, y no una religión.

Vayamos ahora al Nuevo Testamento: ¿Cómo enseñaba Jesús? ¿Le ve usted acaso diciendo a la gente: "Vengan a oírme los domingos a las diez de la mañana"?

¿Se le puede imaginar anunciando: "Vamos a comprar un terreno frente al parque central de Jerusalén para que nuestras oficinas estén lo mejor situadas posible, y construiremos el edificio de la iglesia al lado de nuestra sede"?

No leemos que hiciera planes para tener una iglesia de 60.000 miembros, mayor que la judía. Ni dijo nunca: "Vamos a celebrar una reunión de oración para ver si podemos encontrar un terreno sobre el cual edificar nuestra iglesia".

El método de enseñanza de Jesús fue revolucionario desde sus comienzos. Cuando alguien le preguntaba: "Maestro, ¿dónde vives?", él no respondía: "Toma un folleto; en la parte de atrás verás que puedes escucharme cada domingo por la mañana en mi iglesia".

No, él decía únicamente: "Ven y ve".

Y puesto que no tenía un hogar permanente, la gente tuvo que seguirle durante tres años, hasta que murió. Aquellos que esperaban que estableciera unas oficinas centrales, todavía están esperando; porque jamás tuvo dirección fija.

Tampoco tenía horario de reuniones —estudios bíblicos, reuniones de oración o cultos dominicales matutinos en los que hiciera sonar la campana y se pusiera a la puerta diciendo: "Buenos días. Bienvenido. ¿Cómo está usted? Le deseo que disfrute de la reunión".

Jesús era una persona muy sencilla y natural que vino a habitar entre los hombres para así enseñarles cómo debían vivir.

¿Y de qué manera enseñaba?

Pues bien, lo hacía cuando se levantaba, mientras iba por los caminos de Palestina... Cuando se sentaba, la gente se reunía a su alrededor y él les instruía. Se trataba de una forma de vida que duraba las veinticuatro horas del día. Lo único que hacía era vivir de manera espontánea. Si encontraba a una persona, compartía la vida con ella; y cuando se topaba con mil, vivía con las mil.

"Sígueme"; "aprended de mí"; "Yo *soy*" —les decía.

Nosotros expresamos: "No me mire a mí; mire a la Biblia; siga sus instrucciones".

Lo que queremos dar a entender, es: "Yo he tratado, pero no he podido hacerlo; vea usted si puede".

Pablo enseñaba de la misma forma que Jesús: "Vinisteis a ser imitadores míos y de Cristo" —expresaba; o: "Sed imitadores de mí, así como yo de Cristo".

La mayor parte de nuestra enseñanza hoy es para que la gente conozca las cosas que nosotros conocemos, y no para que llegue a ser lo que nosotros somos. Pero el enseñar como Jesús y Pablo enseñaban, es compartir la vida; no sólo conceptos. Ellos comunicaban esa vida, a fin de que otros llegasen a ser como ellos eran.

Pablo dijo a los corintios: "Vosotros sois cartas de Cristo, leídas por todos los hombres".

¡Somos las cartas de Dios! ¿Cómo hemos de enseñar entonces?

Nuestro amor, nuestro gozo y nuestra paz deberían ser leídos por todo el mundo, para que la gente pudiera decir: "¿Qué tienen ustedes que no tenemos nosotros?"

¡Tenemos a Jesús! El es el camino, la verdad y la vida. Y cuando vean a Cristo también le querrán a él.

En cierta ocasión un grupo de personas me preguntó: "¿Cree usted en la revelación extrabíblica?" Les dije que todos creíamos, porque si no, ¿de qué otro sitio podría haber venido nuestro sistema eclesiástico? No se encuentra en la Biblia —no lo hallará usted en ella—; de modo que si procede realmente de Dios debe tratarse de una revelación extrabíblica.

Ni Pedro, ni Pablo, ni Santiago tuvieron jamás el tipo de sistema que tenemos hoy. Ellos enseñaban donde se encontraban. Instruían a la gente por el camino; en cualquier lugar y en todas partes: en la playa, en las prisiones. . . a cada oportunidad que se les presentaba.

Bautizaban a las cuatro de la madrugada, o a cualquier otra hora —jamás esperaban al siguiente culto—. Todo momento era bueno, y cualquier sitio valía. Se podía hacer en casa de la persona interesada a mitad de la noche —como en el caso del carcelero de Filipos—; en el desierto —al igual que con el eunuco etíope—. . . Se trataba de una vida, no de un sistema religioso.

Ahora bien, no estoy tratando de decir que debamos intentar llevar nuestra religión al resto de la semana. ¡No, no, no! Es algo mucho más radical que eso: ¡Creo que tenemos que abolir nuestra religión!

Vivir en el Espíritu es ser guiados, no por un sistema religioso, sino por la presencia interna de Dios. Se trata de un sistema incorporado de dirección continua para todos los aspectos de nuestra vida. Y cuando vivimos esa vida, nos convertimos en personas normales.

Déjeme ilustrar lo que quiero decir: En el principio, cuando Dios creó a Adán y Eva, la relación que éstos tenían con él era muy sencilla. Me imagino a Dios visitándoles en el huerto, y diciendo:

—¡Adán! ¡Eva! ¿Cómo están?

—Oh, buenos días —contestaban—. Estamos bien. ¿Y tú?

—Muy bien, gracias. ¿Qué estás haciendo, Adán?

—Pues estoy regando los árboles frutales.

—¿Crecen bien?

—Muy bien, Padre. ¿Sabes? Recogimos una cesta de fruta hoy.

Así era su comunión con Dios: tenía que ver con las cosas corrientes de la vida. El estaba interesado en todo lo que hacían.

Luego Dios seguía inquiriendo acerca del bienestar de ellos.

—Eva, ¿cómo va todo?

—Muy bien, Padre. ¡Este huerto es tan hermoso!. . . ¡Y la temperatura perfecta! Todo resulta precioso. Vivir aquí es realmente agradable.

Muchos de nosotros no nos damos cuenta de que esto era así; y asociamos a Dios únicamente con un sistema religioso, no con la vida normal. Pensamos que cuando oían a Dios llamarles, Adán y Eva comenzaban a hacer algo diferente de lo que normalmente hacían.

No, se trataba de algo más sencillo; más natural.

Jesús trajo a la tierra el reino de Dios para que éste pudiera extenderse por todo el mundo, transformando la totalidad de la vida.

El quería que la gente naciera en el reino para que pudiese vivir las veinticuatro horas del día disfrutando del tipo de relación ininterrumpida que Dios se proponía desde el principio. Por fin la humanidad iba a entrar en comunión con él en cada uno de los aspectos de la vida; tal y como lo planeara cuando creó a la raza humana.

Capítulo 9

¿UNA IGLESIA SIN EDIFICIOS?

¿Qué lugar ocupan los edificios en nuestro sistema eclesiástico?

Confesamos de labios para afuera el concepto de que la iglesia es el pueblo de Dios; pero en realidad, la mayor parte del tiempo hablamos de ella refiriéndonos a nuestros edificios: "Voy a la iglesia" —decimos. Sin embargo, esto es un error; pertenece al Antiguo Pacto.

Siempre estamos tratando de empujar a la gente del Antiguo al Nuevo Pacto; pero nosotros mismos somos una mezcla de ambos. Pasamos un rato con la ley y otro con Jesús.

Ya hemos visto que todo lo que se habló antes de Pentecostés se refería principalmente a un Dios que estaba fuera de la gente. El daba una ley, y el pueblo tenía que estudiarla e intentar obedecerla.

Sin embargo, de Pentecostés en adelante, Dios se encuentra dentro de las personas. Nos guía desde nuestro interior. Eso es lo que significa andar en el Espíritu; lo cual supone algo muy distinto del Antiguo Pacto.

En el Antiguo Pacto se iba a la iglesia; pero en el Nuevo ¡nosotros somos la iglesia!

No se trata meramente de un concepto, sino de una realidad; y si no la entendemos estaremos muy confusos, y nos veremos complicados en un adulterio espiritual: tratando de vivir al mismo tiempo con Jesús y con la ley.

El Antiguo Pacto ponía el lugar de reunión en el centro; y nosotros hemos copiado ese sistema. Pero al hacerlo cometemos un grave error; ya que volvemos a una situación antiguotestamentario: a un sistema religioso.

En realidad muchas veces preferimos un sistema religioso; porque así podemos ir a la iglesia el domingo y luego tener para nosotros el resto de la semana. Entonces hacemos lo que queremos.

El mandamiento dado a los apóstoles fue: "Id por todo el mundo". Pero ¿qué decimos nosotros? "Que los pecadores vengan al edificio de la iglesia".

Jesús nunca cantó: "Vuelve al hogar, vuelve al hogar, tú que estás cansado, vuelve al hogar"; sino: *"Ve, ve; tú perezoso, ve, ve"*.

Tampoco dijo: "Cuán hermosas son las lenguas de los que predican el Evangelio"; él habló de "los pies": cuán hermosos son los pies de los que llevan las buenas nuevas a cada nación. Se trata de un asunto de andar; de "ir". Es una movilización continua.

Nuestra actitud es la de querer una religión agradable la cual nos haga sentirnos cómodos. "Veamos qué aspecto tiene ese pastor" —nos decimos a nosotros mismos—. . . Bah, no me gusta, es demasiado bajo; y hace los sermones excesivamente largos. Tampoco el órgano me parece bien". Puede que esta sea una actitud corriente, pero nada tiene que ver con el reino de Dios. Jesús no vino para comenzar un club agradable en el que todos pudiéramos sentirnos cómodos.

El Señor nunca dijo: "Vayan por todo el mundo, edifiquen templos y creen estructuras eclesiásticas"; sino: "Destruid este templo, y en tres días lo levantaré". Estaba hablando de substituir el edificio físico por su propio cuerpo. Iba a poner un templo vivo en lugar de aquel de piedra. Se refería a usted y a mí, que somos su cuerpo, su templo. Nosotros hemos reemplazado aquella construcción física.

Los mejores años de la iglesia —cuando los creyentes crecían más deprisa espiritualmente, tenían más poder, más dones, más revelación y una expansión numérica mayor— fueron durante el tiempo en que ésta no contaba con edificios.

Tenemos tantas otras cosas en vez del Espíritu. . . Comentarios bíblicos, materiales de Escuela Dominical, hermosos edificios, pianos y órganos. El Espíritu Santo podría retirarse de muchas de nuestras iglesias y no lo notaríamos —¡De hecho, un buen número de ellas no saben siquiera si tienen o no el Espíritu!

El efecto que esto produce es una división de nuestras vidas en dos partes: la espiritual y la secular.

Cuando se trata de nuestro hogar, nuestro trabajo, nuestro tiempo libre, decimos: "Ahí no, pastor. Esa es mi vida personal; de modo que no meta sus manos en ella. ¿Acaso no vengo a las reuniones? ¿No pago los diezmos? ¿Qué más quiere de mí? Soy un miembro fiel de su iglesia".

Pensamos que nuestra vida espiritual está en las reuniones. Todo lo que hacemos dentro del edificio de la iglesia es la vida cristiana. Una vez terminados los "aleluyas", decimos: "Hola, ¿has visto hasta dónde ha llegado la tasa de inflación? ¿Quién crees que va a ganar las elecciones?" Esa es nuestra otra vida —la vida personal y secular que viviremos hasta que llegue la siguiente reunión.

—¡Ah, es un buen cristiano! —dice el pastor— Viene cada domingo, y también asiste a todas las reuniones durante la semana. No fuma, ni bebe. ¿Qué más puedo pedir?

No estoy en contra de las reuniones, ni de los edificios; lo que digo es que Cristo es el centro. El ir a las reuniones, en sí, no representa nada a los ojos de Dios. Es únicamente religión. Jesús vino para traernos vida las veinticuatro horas del día, y una nueva alternativa de sociedad: el reino de Dios.

En la iglesia primitiva vivían una sola vida. Nosotros tenemos una vida con su punto focal en el edificio de la iglesia —la espiritual—, y otra que es nuestra vida secular y familiar.

Alguna buena gente ha llegado a quedar confusa tratando de mantener dos centros en su vida.

Tan pronto como nos mudamos a nuestra nueva casa, comenzamos a testificar a la vecina.

—Sí, soy cristiana —expresó ésta.

—Qué bien —contestó mi esposa— ¿Y a qué iglesia va?

—No asisto a ninguna iglesia —dijo ella—. Es una historia larga, pero se la contaré en pocas palabras.

En cierta ocasión fui a una iglesia que me gustó de veras. El pastor predicó muy bien; así que pasé al frente y anotaron mi nombre. Desde entonces empecé a asistir allí los domingos por la mañana. Pero luego el pastor me dijo que si verdaderamente quería gozar del favor de Dios debía también ir al culto por la tarde.

De modo que comencé a asistir los domingos por la tarde.

A continuación el ministro expresó que necesitaba estar asimismo en el estudio bíblico; y más tarde me dijeron: "¿Por qué no viene también a la Escuela Dominical?" Por lo tanto, después del culto me quedaba para la Escuela Dominical.

Seguidamente afirmaron: "Debiera usted asistir a la reunión de oración". Y así lo hice. Luego llegó el consejo: "Debe formar parte del grupo de señoras". De modo que los miércoles tenía que asistir a dicho grupo. Alguien reparó entonces en que yo poseía una buena voz, de manera que dijeron: "Debe usted unirse al coro, ya que su voz es hermosa. Ha de usar plenamente sus talentos para Jesús". Ello significaba que tenía que asistir al ensayo del coro los martes.

Estaba casi todos los días en la iglesia, descuidando así mi casa y a mi familia. Hasta que cierto día dije: "No volveré a ir sino los domingos".

El pastor, entonces, empezó a hacer todo tipo de comentarios indirectos; tales como: "¡Ay estos domingueros!" Y a mí me parecía que era porque yo ya no asistía a todas las reuniones. Después de varios domingos más, dejé de ir por completo.

Naturalmente, hay gente que les gusta estar todo el tiempo en reuniones; y a menudo es porque tienen necesidades emocionales. Tales personas lloran cuando el pastor da un hermoso sermón, o durante la interpretación de bellas canciones.

Si usted necesita una liberación emotiva, puede ver alguna película de cine que le haga llorar; pero el Señor le puso en este mundo para salvarlo, para extender su reino aquí, no con objeto de que se le divierta, ni para que sus emociones sean conmovidas en las reuniones de la iglesia.

Nosotros somos la luz del mundo; y esa luz ha de ser esparcida a fin de que lo alumbre de veras. Dios le puso en su vecindario, y usted es la luz allí. El propósito es que brille en la oscuridad de ese sector.

¿Y qué significa ser una luz? Ser una luz quiere decir ejercer el sacerdocio para todos aquellos conectados con la estructura de su vida.

El primer requisito que debemos cumplir los que hemos de guiar a otros, es tener nuestra propia casa en orden —que nuestros hijos nos sean obedientes en el hogar.

Cuando uno lee en la primera carta de Pablo a Timoteo lo que se requiere de un ministro, no ve que sea esencial creer en el milenio, o en la Gran Tribulación. Allí se dice que los ministros deben ser maridos de una sola mujer, personas respetables, y que han de tener su propia casa en orden. También deben ser hospitalarios: su vida familiar tiene que estar abierta para que todos la vean.

Debido a mi situación, viajo mucho —a veces más del 50 por ciento del tiempo—. La Biblia dice que esposo y esposa pueden separarse por un período determinado si ambos están de acuerdo; de manera que cuando me voy de viaje tiene que ser con la plena conformidad de mi esposa. Si ella no estuviese de acuerdo, yo tendría dificultades. Mi vida está consagrada a Marta y a mis hijos; de manera que ellos ocupan el primer lugar.

Cuando era pastor, y al mismo tiempo viajaba, me daba cuenta de que aquello suponía demasiado. Entonces decidimos que tendría que abandonar el pastorado o los viajes; porque la familia no podía con ambas cosas. De manera que dejé lo primero.

En aquel tiempo vivía en Buenos Aires, y viajaba por todo el mundo. De un lugar a otro tenía muchas horas de vuelo. Ya que los pasajes costaban muy caros, necesitaba estar fuera un mes entero —y a veces dos— en cada viaje; lo cual no era bueno.

Estudiamos cómo podíamos mejorar la situación; y entonces decidimos trasladarnos a un sitio más céntrico y cerca de un aeropuerto aquí en los Estados Unidos.

Pero todavía había cosas que se podían mejorar.

Cierto día, mi esposa dijo: —Cuando vuelves de tus viajes tienes que ir a tu despacho para contestar todo el correo y planear tu próxima agenda. Te propongo ayudarte; a fin de que al regresar a casa puedas estar más con la familia. Yo contestaré tus cartas.

Ahora, cada noche llamo a Marta, me encuentre donde me encuentre. Hablamos acerca de todo lo que está pensando, comentamos el correo, y decidimos cómo debiéramos contestarlo. Aun las cartas que llegan mientras estoy en casa, las dejo; y ella las contesta una vez que me he marchado.

Todos mis estudios y lecturas los llevo a cabo en los aviones y hoteles. Asimismo escribo durante ese tiempo cada una de mis postales y cartas. Nada de esto lo hago en casa, para poder disfrutar con la familia.

Cuando estoy en el hogar, nos levantamos juntos, hacemos juntos las camas, vamos a comprar juntos... Yo preparo la comida para que mi esposa descanse un poco de la cocina. Nos ocupamos juntos del jardín, pintamos... todo lo hacemos en familia —incluyendo a los niños cuando están en casa—. Asistimos a partidos de fútbol, a conciertos... Adondequiera que vayan los míos, yo les acompaño.

Nos hemos adaptado a mis viajes. Es Cristo en nosotros quien nos muestra cómo ser creativos en nuestra situación. También hemos aprendido a vivir con gozo en esa circunstancia, y no sólo a aguantarla, sufrirla, o meramente aceptarla.

Así que Marta se queda en casa con gozo, yo viajo con gozo, y somos muy felices.

En cierta ocasión tuve la idea de celebrar reuniones de negocios familiares. Las realizamos cada varios meses. Empezamos con una cena especial, para la cual cada uno se pone sus mejores ropas, y luego, después que cenamos, llevamos nuestros cafés al salón y tenemos una sesión en la que todo el mundo puede decir lo que piensa.

Nuestros hijos nos explican lo que creen que estamos haciendo mal —y muchas veces han tenido razón.

Antes, en vez de escucharles de veras, lo que hacíamos era sencillamente reprenderles o castigarles; pero ahora les prestamos atención mientras exponen sus puntos de vista. Incluso cuando están equivocados, a menudo vemos que tienen la motivación correcta —uno debería juzgar los motivos, y no sólo las acciones—. De manera que les escuchamos, y ellos nos escuchan a nosotros. Luego, una vez que hemos tratado los asuntos a fondo, tomamos las decisiones.

En nuestro hogar hemos realizado ajustes para que yo pueda seguir con mi ministerio de enseñanza. De hecho, la causa de que yo tenga que viajar es debida al sistema eclesiástico; no necesitaría hacerlo si la iglesia estuviera estructurada de un modo diferente. Así que hemos introducido cambios en nuestra vida para que me sea posible continuar con mis viajes; ya que si no dirijo a mi familia como es debido, no puedo ir a predicar a otros.

Para ser una luz, en el primer lugar donde debo brillar es en mi hogar. Esta es mi primera responsabilidad.

Capítulo 10

DIGAMOSLO A DIOS PARA QUE SE ALEGRE

Si nuestras familias fueran todo lo amorosas y armoniosas que Dios quiere que sean, supondríamos un potente testimonio para la comunidad en que vivimos.

Cuando no ejercemos el sacerdocio eficazmente en el hogar, no podemos ejercerlo en ningún otro sitio. De manera que quiero compartir con usted algunas de las cosas que he aprendido en mi propia familia. No se trata meramente de conceptos, sino de vida. Yo experimento aquello de lo cual estoy hablando.

Como pastor daba buena instrucción acerca de la familia; pero existe una gran diferencia entre enseñar conceptos e impartir vida. Se puede celebrar un altar familiar de modo que los nuestros comiencen el día con una enseñanza perfecta. El padre dice a los demás que hagan lo que él enseña; pero cuando lo intentan, ¡se preguntan si él mismo pone en práctica sus lecciones!

Tener una enseñanza intachable, pero no llevarla en realidad a la práctica, es legalismo: un concepto; lo cual condena a la gente. Aun sin vivirlo, puede usted buscar en la Biblia y sacar de ella algunos versículos para presentar un cuadro maravilloso del matrimonio. Pero si no experimenta lo que enseña, aquellos que le escuchan verán que no pueden ponerlo en práctica y se sentirán culpables.

Una de las mayores bendiciones para los líderes de mi iglesia cuando yo era pastor, era venir a pasar un tiempo en nuestro hogar. Yo les invitaba a estar con nosotros dos o tres días para que vieran cómo vivíamos.

Luego ellos decían: —¿Sabe, hermano Ortiz? Lo que más nos ayuda es ver que ustedes son personas normales. Nosotros pensábamos que usted y su esposa hablaban con versículos de la Biblia, y que se levantaban por la mañana cantando himnos.

Recuerde: El fariseo parecía un santo, pero era un bendito hipócrita; mientras que el publicano era un sincero pecador. Yo prefiero un pecador sincero a un santo hipócrita.

Así que creo que hemos de empezar siendo muy sinceros: quitándonos la careta y dejando que la gente nos vea como somos en realidad. No podemos comportarnos de una manera en los momentos de fraternidad de nuestra iglesia, y de otra en casa. Debiéramos ser los mismos todo el tiempo.

Lo que es todavía peor: no sólo vivimos una vida distinta el domingo por la mañana; sino que muchos de nosotros llevamos también una doble vida aun dentro de nuestro propio hogar. Tenemos devociones familiares en las cuales nos conducimos como santos; y de forma diferente al resto del día.

Si dijera que nosotros no tenemos devociones familiares, mentiría. Pero si digo que las tenemos, usted pensará que las hacemos a la manera tradicional: un altar familiar; lo cual no es del todo exacto.

Creo que una de las mejores herencias que podemos dejar a nuestros hijos es la de no ser cristianos de orientación activista; con ello quiero decir que no consideremos a Cristo como algo para los martes, los jueves a las 7:30 de la noche y los domingos a las 10:00 de la mañana —o todos los días de 6:00 a 6:30 de la madrugada—. No, Cristo es para las veinticuatro horas del día. Estamos en un diálogo constante con ese Jesús interior. Se trata de una comunión continua, porque hemos llegado a ser uno con él.

De modo que cuando mis hijos y yo estamos jugando al fútbol, o haciendo cualquier otra cosa juntos, paramos en el descanso y decimos: —¡Qué día tan estupendo! ¿Verdad que lo estamos pasando bien? Vamos a decírselo a Dios para que se alegre.

Entonces expreso: "Gracias, Señor, porque nos estamos divirtiendo".

No cerramos los ojos, ni hacemos de ello un acto religioso. De hecho no hay ni un solo ejemplo de alguien que cerrara los ojos para orar en ningún lugar de la Biblia (aunque desde luego está bien hacerlo si uno quiere). Sencillamente hablamos con Dios de una manera natural, y le reconocemos en todo. Así que mis hijos han aprendido a tener una relación, no una religión.

Cuando nos levantamos por la mañana, decimos —¡Buenos días! ¡Despierta! Mira qué día tan hermoso hace. ¿Verdad que Dios es bueno?

Luego, al sentarnos a desayunar, a veces oramos antes de empezar a comer, y otras veces no. En ocasiones sólo digo una palabra, sin hacer de ella una oración. Algo como: —Gracias, Señor.

Otras veces señalo a mis hijos cuán bueno es Dios al darnos tanta comida. No se trata —y sí se trata— de una oración. Yo intento no hacer de ellos personas religiosas; sino enseñarles a vivir esta vida en Cristo de una manera completamente natural.

Procuramos tratar a nuestros hijos del modo que Dios nos trata a nosotros; lo que significa que lo hacemos mediante una relación en vez de por ley. Yo creo que ahí está la clave: relación y amistad —no su perfección; sino el diálogo.

Cuando llego a casa después de un viaje, todos nuestros hijos vienen a nuestra alcoba por la noche. Somos seis: mi esposa, ellos cuatro y yo. Nos tumbamos juntos en la cama y hablamos; a veces durante tres o cuatro horas. Eso sucede cada noche mientras estoy en casa. Cuando ellos tienen que ir al colegio hemos de echarlos; pero si no hay clase, le digo a mi esposa: "Deja que se queden. Aunque nos durmamos, permíteles que hablen entre ellos y con nosotros de lo que quieran".

Marta me cuenta que aun cuando yo no estoy en casa van a nuestra habitación. Los mayores trabajan en un restaurante; así que a veces tienen que cerrarlo a las doce o la una de la madrugada. Pero incluso cuando vuelven a la una, pasan a nuestro dormitorio, nos despiertan y hablamos con ellos.

Ahora todos mis hijos son adolescentes, y hemos de entender que lo son. Cuando crezcan, serán adultos; pero en la actualidad nos enfrentamos a muchas de las situaciones que atraviesan otros padres.

La primera cosa que vemos mi esposa y yo, es que no tenemos por qué preocuparnos. La adolescencia es una etapa normal del crecimiento —¡además todos hemos sido adolescentes!—. Creemos que nuestro ejemplo basta para ayudarles durante esos años; de modo que no intentamos acelerar el proceso ni nos preocupamos por él. No nos ofendemos ni escandalizamos cuando hacen algo que está "mal" según nuestras reglas evangélicas.

Hemos creado una atmósfera tal en nuestro hogar, que cuando hacen cosas que nosotros como padres tal vez no aprobemos; nos lo dicen. Somos muy, muy buenos amigos; de manera que sabemos lo que hacen y adónde van. ¡Nos cuentan cosas que yo jamás habría contado a mis padres cuando tenía su edad!

Creo que lo más importante es no exigirles la perfección; sino aceptarles como adolescentes y requerir de ellos sinceridad. A medida que crezcan irán aprendiendo lo que les es provechoso y lo que no.

La clave es la sinceridad. Hablamos con ellos de tal manera que no viven bajo un sentimiento de condenación. No les decimos: "Dios te castigará" o "vas a perder tu alma".

Si sus hijos pueden decirle todo lo que hacen, no se preocupe cuando algunas veces le cuenten algo que pudiera ser malo; porque lo harían de todas formas, pero sin decírselo. Por lo tanto, es mejor que esté al corriente, y entonces tendrá la oportunidad de enseñarles en forma gradual. De otra manera, los perderá.

Descubro que así es como actúa Dios con nosotros. El quiere que confiemos en él y le amemos; de modo que aunque hagamos algo que está mal, lo hacemos en su presencia, porque él vive en nosotros. Somos amigos, y los amigos comprenden: cuando nos explicamos, él nos escucha y perdona; y se mantiene así nuestra amistad.

La mayoría de los cristianos están relacionados más bien con una serie de reglas que con una persona. Un conjunto de reglas no tiene emociones, ni sentimientos; no se puede hablar con él. Lo único que sabe decir, es: "No hagas esto. . . no hagas aquello".

Pero nuestra relación es con un Dios personal que tiene sentimientos y emociones; que escucha, comprende y dialoga con nosotros; y a quien podemos decirle como Pedro:

"Señor, me has preguntado si te amaba, y he dicho que sí. Pero vuelves a preguntarme una y otra vez lo mismo. Escucha: Sé que me viste negarte. Te negué tres veces; pero a pesar de ello, te amo. Puede que digas: '¿Cómo es que me amas si me has negado?' Sea como sea, Señor, no lo entiendo; pero sé que te amo. Si conoces todas las cosas, sabes que es verdad, a pesar de todo cuanto hice".

Mis hijos, aunque son como los demás, tienen una relación con Jesús. El les ama; y ellos le aman a él. No son unos santos; pero ya sea que todas las apariencias exteriores indiquen su imperfección, tienen una relación con Jesús.

El poder del pecado es la ley; por lo tanto los hijos se verán más tentados a hacer cosas que les están prohibidas que otras que no lo están.

Esto significa que son libres para decidir no hacer algunas de esas cosas porque ven que no les convienen. Como dice Pablo: "Todas las cosas me son lícitas, mas no todas convienen".

Ellos tienen libertad para hablarnos de cualquier cosa que hacen.

Si hacen algo que está mal, saben que reaccionaremos aceptándolos plenamente; nunca los rechazaremos. Asimismo siempre estaremos dispuestos a ayudarles a salir de cualquier situación —en lugar de reprobarles, amenazarles o condenarles—. Tienen que ver en nosotros el amor del Padre. Algunas cuestiones no son fáciles; pero creo que la mejor manera de tratarlas es abiertamente, no evitándolas.

Nos sentíamos preocupados de que nuestros hijos fueran a casarse demasiado pronto; pero David dijo: —No, no, papá; yo me casaré cuando tenga veintiséis años, como tú.

Creo que ellos tienen un concepto muy alto del matrimonio y del hogar; porque desde que eran casi bebés nos han visto vivir la vida de Cristo con ellos abiertamente.

Ya que estamos en Cristo, no tenemos problemas; sólo situaciones nuevas. Así que yo nunca me siento ansioso por nada. Descanso. Enfrento cada situación en su momento, y sigo la guía interior del Espíritu. No existen fórmulas; sólo la dirección diaria del Cristo interno.

La aceptación es siempre la base subyacente de todo lo que hacemos en nuestra relación con nuestros hijos; y esa aceptación viene a través de la sangre de Jesús, y no por su comportamiento. Hasta ahora, lo que nuestros hijos han visto en nosotros es lo que creen que será bueno también para ellos.

Desde luego, la cosa no resulta sencilla cuando los padres han llegado al conocimiento de Jesús cuando sus hijos tienen ya 15 ó 16 años y éstos son ya rebeldes.

En tal situación, yo diría a mis hijos: "Quiero que sepan que les amo hagan lo que hagan; sin embargo desearía darles a conocer mi parecer en cuanto a la situación de ustedes: No están actuando correctamente. Me obedezcan o no, eso no cambiará el amor que les tengo; pero puesto que les amo, he de decirles cuándo hacen mal".

Yo les diría todo lo que necesitarán oír —porque amar no significa quedarse callado—; sin embargo, recalcaría que hicieran lo que hiciesen les seguiría queriendo.

"Hagan lo que no está bien —explicaría—, y aun así, seré su amigo; pero tengo que advertirles que están actuando mal".

Creo que obtendríamos más éxito de esta manera que si ponemos su obediencia como condición para nuestra amistad. Si continuamos siendo sus amigos, tendrán que enfrentarse a nosotros todos los días y tal vez haya alguna oportunidad de ayudarles.

Pero si expresamos: "Si no haces lo que te digo, adiós", entonces les dejamos solos y ya no podemos influir en ellos. Mientras permanezcan en casa somos un factor de convicción en sus vidas; y, puesto que seguimos amándoles, algún día nos escucharán.

En primer lugar, por lo tanto, nuestros hijos necesitan saber que les aceptamos por completo exactamente como son; que no tienen necesidad de hacer nada excelente para ganar nuestro amor y nuestra aceptación. Esto es muy importante, ya que ellos aprenden acerca de Dios a través de nosotros. La imagen que tengan de nosotros, sus padres, es la que probablemente tendrán de Dios. De modo que hemos de poner cuidado en tratarles como él nos trata a nosotros. Dios nos acepta y mora en nosotros tal como somos.

En cierta ocasión, uno de nuestros hijos hizo algo bastante malo, y como tenía seis o siete años le mandamos a la cama. Más tarde, cuando pasé por delante de su habitación, me llamó y dijo:
—Estoy tranquilo.

Le pregunté cuál era la razón de que así fuera, y él me respondió: —Porque sé que aunque me has dado azotes, me quieres.

Aun en su mente de niño, ese era el concepto que tenía de Dios. Mis hijos nunca han pensado que serían rechazados por Dios; ya que yo les enseñaba que él siempre los acepta.

En segundo lugar, también creo que es necesaria la disciplina.

Sin embargo, no hay que confundir disciplina con legalismo. Legalismo quiere decir que ellos han de hacer algo para ser aceptados; la disciplina se suministra con aceptación. Los hijos saben que se les acepta hagan lo que hagan; pero necesitan aprender lo que les conviene.

La disciplina es sólo parte de la infraestructura del hogar: "Lávate los dientes", "pídelo con por favor", y "siéntate como es debido" forman parte de la marcha de la casa.

Tercero: También he aprendido que el dar azotes y gritar a mis hijos no ayuda mucho a alcanzar la meta que perseguimos. Tal vez unos azotes puedan ser buenos cuando los niños no comprenden otro lenguaje —especialmente si todavía son bastante pequeños—; pero ellos deben entender muy bien por qué se les administran y que les amamos.

Lo que me preocupa es que, cuando muchos padres les dan azotes a sus hijos no lo hacen por razón de la obediencia del niño, sino más bien como resultado de su propia impaciencia. Por otra parte, si nos encontramos de buen talante, a menudo somos demasiado indulgentes. Esto crea confusión en los pequeños.

En cuarto lugar: Busque la dirección del Señor. Yo no tengo un concepto rígido de cómo debo disciplinar; creo, por el contrario, que el Señor me guía espontáneamente.

Cada niño es diferente. En algunos casos, el pequeño comprenderá mucho mejor si recibe unos azotes que con palabras; pero en otros, el dárselos será de lo más negativo. Aquellos que vivimos en el Espíritu aprendemos a ser guiados por el Señor en cuanto a cómo tratar a nuestros hijos cuando hacen algo que está mal.

¿Entiende usted lo que quiero decir cuando afirmo que la vida del espíritu no es para los cultos del domingo, sino para toda la existencia? ¡Yo necesito más la dirección del Espíritu con los hijos en el hogar, que en las reuniones!

Algunas veces se piensa que el Espíritu Santo es sólo para los momentos devocionales; y se tratan los asuntos familiares mediante libros de reglas. Sin embargo hemos de seguir la dirección interna de Jesús en todas las cosas.

Si hiciéramos caso al Espíritu, nuestros hogares serían testimonios en la comunidad. Pero con demasiada frecuencia nuestras casas están hechas un desorden. La familia debe ir antes que ningún ministerio en el que estemos involucrados.

En cierta ocasión nos enfrentábamos a una situación difícil en nuestro hogar, y yo estaba a punto de dejar el ministerio. Convoqué una reunión familiar, y dije a mis hijos: —Quizás sea yo el culpable, por viajar tanto y no poder estar aquí en casa. Mamá es una mujer, y ustedes se aprovechan de ella; así que tendré que dejar de viajar. Conseguiré un trabajo y haré discípulos alrededor de donde vivo; porque ustedes son más importantes que mi ministerio.

Entonces mis dos hijos contestaron: —Escucha, papá. Estamos seguros de que tu ministerio viene de Dios. Hemos visto las bendiciones que ha traído a muchas personas alrededor del mundo. La gente nos dice continuamente: "Su padre me ayudó en esto o aquello". Nosotros haremos la parte que nos corresponde para que puedas seguirlo. Nos portaremos mejor. Obedeceremos a mamá, y no nos aprovecharemos de ella.

De manera que tomamos la decisión unánime de que yo siguiera viajando.

En muchos casos, ¿qué saben sus vecinos de los cristianos? Sólo que en esa casa vive uno, y que es una persona muy rara; que se va por la mañana temprano y vuelve tarde por la noche. Eso es todo lo que saben de ellos —no tienen ningún compañerismo, ningún contacto con esa gente misteriosa.

Esto no debería ser así; de manera que lo primero que tenemos que hacer es convertirnos en una familia que brille en la comunidad —que esparza amor a todos los que viven a su alrededor—. Ello comienza cuando nuestro hogar está sometido a Cristo, el jefe de la casa.

Capítulo 11

¿Y QUE ME DICE DE SUS PARIENTES?

En cuanto mis padres se convirtieron, empezamos a tener comunión con la gente de la iglesia a la cual habíamos comenzado a asistir; llegando ésta a convertirse en nuestro único interés.

¿Sabe usted lo que dijeron nuestros familiares? "Desde que se hicieron de esa religión, los perdimos".

Y era verdad. Estábamos tan ocupados con la iglesia que perdimos todo contacto con nuestros amigos, parientes y antiguos conocidos. Sólo veíamos a nuestros familiares en los entierros; y precisamente aquellas personas a las cuales se esperaba que trajésemos al Señor, de repente ya no formaban parte de nuestras vidas.

¿Quiénes son los que llevan nueva gente al Señor? Los que acaban de convertirse; porque todavía tienen amigos en el mundo. Pero después de unos pocos meses ya no guiarán a más; quemarán los puentes que les unen a la sociedad secular, y en vez de ello irán a las reuniones de oración y a los estudios bíblicos y son completamente absorbidos por el sistema eclesiástico.

Todavía recuerdo los tiempos en que nuestra familia pertenecía a una iglesia italiana. Teníamos reuniones todas las noches excepto el viernes. ¡Seis noches cada semana estábamos fuera de casa!

Cada tarde a las 6:30 salíamos de nuestro hogar con la Biblia bajo el brazo. Entonces no teníamos automóvil; de manera que nos era necesario andar siete calles para tomar el tren. No volvíamos hasta aproximadamente las 10:30.

¡Imagínese lo que pensaban nuestros vecinos! Todos los días nos veían partir a las 6:30, y les dábamos pena: "Pobre gente —pensaban—, vaya religión que tienen".

Naturalmente, no disponíamos de tiempo para hacer amistad con ellos, debido a lo ocupados que estábamos con la iglesia. Incluso cuando había un día de fiesta, la iglesia celebraba una reunión especial. Siempre nos hallábamos en el templo; así que en nuestras vidas no había sitio para parientes o vecinos. Pensábamos que la espiritualidad consistía en estar continuamente en la iglesia.

Dios nos ha salvado a cada uno de nosotros para que extendamos su reino en el lugar donde nos ponga: en la estructura de vida en que nos encontremos. Somos responsables de la gente que tenemos a nuestro alrededor. Dios quiere que les alcancemos; que les mostremos su amor. El desea amarles a través de nosotros. Así es como crece el reino de Dios.

Pero con demasiada frecuencia la iglesia nos ha sacado de las estructuras normales del mundo. Hemos cortado toda conexión con la gente hacia quienes se esperaba que esparciésemos luz. El resultado de ello es que somos inútiles para el evangelismo.

Necesitamos considerar nuevamente el propósito de la iglesia. Esta nunca se pensó que fuese una institución separada de la vida; por el contrario: hacerse cristiano debía ser la forma normal de vivir.

¿Sabe usted lo que tenía Dios en mente cuando llamó a Abraham? "Serán benditas en ti todas las familias de la tierra" —le dijo. ¿Pero qué hicieron los judíos? Pensar que la bendición de Dios era sólo para ellos —querían el privilegio, pero no la responsabilidad.

Dios no nos ha puesto en su iglesia para que seamos perezosos; él espera mucho de nosotros.

Nosotros somos, por medio de Cristo, la verdadera simiente de Abraham; y Dios quiere que, a través de nosotros, todas las naciones entren en la bendición del patriarca. Nosotros tenemos que extender el reino de Dios a todo el mundo.

Dios nos esparce por todos lados para que podamos salar la tierra e iluminar el mundo. Se espera que cada uno brille en el lugar donde él le ha colocado; así es como el reino de Dios invade las estructuras de la sociedad —igual que la levadura se expande por toda la masa de pan.

Jesús dijo: "Buscad primeramente el reino" —de manera que ésta es la primera cosa en nuestras vidas. Cada uno de nosotros en particular nos encontramos en el sitio donde Dios quería que estuviésemos para la extensión de su reino.

Esto significa que cuando nos mudamos de lugar de residencia es muy importante preguntar a Dios dónde quiere que vayamos. No deberíamos trasladarnos sólo por nuestro propio gusto; sino porque él nos quiere como representantes suyos en un sitio nuevo.

Solemos decir: —Pues he cambiado de trabajo porque me. . . Pero eso no está bien. Debemos cambiar de empleo si Dios nos está llevando a otro porque necesita un misionero en nuestra nueva situación laboral.

Si estás estudiando en la universidad, no te encuentras allí principalmente para conseguir un título; sino que el propósito primero y principal es el reino. El obtener un título forma parte de tu trabajo en el reino, y no es simplemente para que puedas engordar tu intelecto.

En cierta ocasión, un chico peruano vino a estudiar en una universidad de nuestro país; y algún tiempo después conoció a Cristo. Entonces asistió a nuestra iglesia de las asambleas, y semanas más tarde le dijo al pastor: —No quiero estudiar más.

—¿Por qué? —pregunto el ministro.

—Porque ahora soy salvo —respondió él.

—¿Qué quieres decir? ¡No puedes dejar tus estudios porque eres salvo!

—Es que lo que realmente hacía en la universidad no era estudiar.

—Pero nosotros te vimos hacerlo.

—Sí, tenía que estudiar; pero no estaba allí con ese propósito. El Partido Comunista de Perú me envió a la Argentina a fin de extender su doctrina en la universidad; y para hacerlo tenía que convertirme en un estudiante normal. Mis estudios eran una cobertura. Una vez que hubiese obtenido ese título estudiaría para sacar otro, y luego otro. . . y quedar allí el mayor tiempo posible con objeto de propagar el comunismo.

Si se encuentra en una universidad, está allí en primer lugar

98 / Jesús en nuestras vidas—hoy

para extender el reino de Dios. Aunque no sea capaz de predicar, puede brillar como una luz: amar a la gente para que esta vea que Cristo está vivo hoy.

Suponga usted que trabaja en la compañía de automóviles Ford. Tal vez me dirá: "Pues, estoy allí porque pagan mejor, y porque hay muchos beneficios para los empleados".

No, está usted en la Ford porque Dios necesita un misionero allí; él simplemente utiliza dicha empresa para mantenerle en el campo de misión.

Si usted tiene dos vidas —una privada y otra religiosa—, puede trabajar en un lugar por muchas razones personales; pero si solamente vive una, Dios está en todo cuanto usted hace. Y dondequiera que se encuentre es responsable de aquellos que forman parte de la estructura de su vida.

En primer lugar, tenemos responsabilidad por nuestra familia. El pastor no es el responsable, sino sólo un ayudante, un consejero. . . La responsabilidad recae sobre nosotros. Los esposos son responsables de sus esposas y de sus hijos.

—Pero si soy viuda. . . —entonces usted es la responsable; si no hay esposo, usted tiene el sacerdocio.

—Nosotros somos huérfanos; y yo el único salvo. . . —entonces eres responsable de tus hermanos y hermanas.

Sea cual sea el grupo doméstico en el que vive, usted es el responsable; Dios le ha asignado al mismo para que sea su cabeza.

Al emplear el término "cabeza", no quiero decir que sea usted quien da las órdenes; sino la luz espiritual de la casa: el que ejerce el sacerdocio. Si vives en una residencia estudiantil, y eres la única persona salva, tienes responsabilidad por esos estudiantes que están contigo en la familia; te guste o no.

En cualquier grupo doméstico en el que haya alguien que conoce al Señor, tal persona es la responsable —la luz de esa casa, el que ejerce el sacerdocio—; y Dios preguntará a cada uno de nosotros: "¿Qué hiciste donde te puse?"

En segundo lugar —después de nuestra familia inmediata—, somos responsables de nuestros parientes: tíos, tías y primos.

Puede que usted diga: —¡Pero si hace veinte años que los vi por última vez!

Sí, y eso está muy mal; porque usted tiene responsabilidad por ellos.

Tercero: Usted es responsable de sus amigos; y no sólo de los más íntimos, sino también de su abogado y de su dentista. Si Dios le ha salvado es porque desea alcanzar a través de usted a toda esa gente que forma parte de la estructura de su vida. Si no lo hace por medio de usted, entonces ¿por medio de quién lo hará?

Cuarto: Usted es responsable de sus vecinos —el que ejerce el sacerdocio en el vecindario.

—¿Yo?

Sí, usted es el pastor de esa vecindad. La iglesia divide al mundo en regiones, a las regiones en distritos, a los distritos en iglesias del barrio y a las iglesias del barrio en hogares: todo cristiano tiene una iglesia.

Su iglesia es el vecindario de casas donde vive. Usted es el responsable de ese grupo de viviendas. ¿Se imagina que Dios va a enviar a un ángel desde el cielo para que evangelice su vecindario a fin de que usted pueda ir a las reuniones?

Usted es el pastor de su pequeña iglesia, y el ministro de la iglesia es consejero suyo; él está para darle confianza y ayudarle a cumplir con su responsabilidad por medio de la dirección espiritual. Pero el responsable es usted.

Asimismo es usted quien tiene la responsabilidad por sus compañeros de trabajo. Usted es un pastor para los que trabajan a su alrededor cada día. Ellos forman parte de la estructura a la que Dios quiere penetrar con su luz a través de usted.

Eso significa que usted tiene algo que hacer. Tal vez debería comenzar confeccionando una lista de toda la gente por la cual es responsable. Pero antes de que empiece, quiero hacer una distinción muy clara entre el concepto y la vida.

Si usted tiene sólo el concepto de que es responsable como pastor en su vecindario, bien esto le parecerá una carga tremenda, o bien saldrá usted a la calle apresuradamente para tratar de convertir a todo el mundo predicándole. La letra mata. Si su responsabilidad no supone para usted más que un concepto, dicho concepto le matará, ¡o será usted quien acabe con aquellos a los cuales testifica, haciéndoles sentir un rechazo!

No estoy hablando acerca de intentar realizar una gran obra para Jesús; sino de una vida que manifiesta de tal manera el amor, que atrae a la gente a la luz. En otras palabras: que vivir en él las veinticuatro horas del día es en sí hacer la obra del reino de Dios.

Cuando se me invita a hablar en iglesias, tengo miedo de una cosa. La mayoría de esas invitaciones son para que trate del discipulado, que es un tema acerca del cual me gusta de veras hablar; pero existe el peligro de tomar más apego al método que al Jesucristo vivo.

A los seres humanos les resulta muy tentadora la parte mecánica del discipulado. Se trata de algo atractivo para nosotros; y nos apropiamos del concepto, pero no de la vida, así que éste termina convirtiéndose en otro sistema, en otra forma de esclavitud.

En la situación en la cual surgió el discipulado —dentro de la comunión de la iglesia que yo pastoreaba en la Argentina—, éste no ocurrió como algo mecánico en absoluto; sino que brotó de la vida. No sabíamos nada del discipulado; simplemente estábamos viviendo como comunidad y descubriendo cosas sin tener consciencia realmente de lo que ello suponía. Sólo después de que vine a los Estados Unidos, y comencé a enseñar, se le puso a aquello el nombre de discipulado.

La gente me decía: —Usted predica la doctrina de la sumisión.

¡Así fue como por primera vez supimos que estábamos practicando el discipulado! Hasta aquel momento no había sido más que un fluir de vida, y no una doctrina. Al descubrir la doctrina de la sumisión estropeamos aquella vida; de modo que tengo miedo de la designación.

En la actualidad, cuando se me invita a hablar del discipulado, prefiero no hacerlo en la primera visita; sino utilizar esta a fin de preparar a la gente para lo que viene luego. Durante esa primera visita comprenden que no soy legalista en absoluto. Sólo una vez que han entendido esto, trato del discipulado.

Recordará usted que cuando Pablo visitó Atenas descubrió que a los atenienses les gustaba pasar el tiempo escuchando nuevas doctrinas. A veces pienso que en nuestras iglesias somos así también. A todos nos agrada escuchar lo que el hermano Cho hizo en Corea, o lo que Dios llevó a cabo en nuestra iglesia en la Argentina. Tales cosas son interesantes, y pueden tener utilidad; no obstante no necesitamos copiarlas, ya que todos contamos con el mismo Espíritu que vive dentro de nosotros para guiarnos en las situaciones particulares de nuestras iglesias. El peligro consiste en que tomemos esas cosas y creemos con ellas un nuevo sistema; y entonces se conviertan en fórmulas.

En este libro no estoy intentando ofrecerle un nuevo sistema, sino simplemente presentarle al Cristo vivo, el cual puede decirle lo que debe hacer en su situación local. No se trata de una nueva receta referente a cómo tendría que ser la iglesia. Su propósito es señalarle al Espíritu Santo, quien es capaz de guiarle las veinticuatro horas del día. Mi intención al hablarle de la manera en que hacíamos discípulos y cómo crecía el reino de Dios en nuestra situación, es motivarle a pensar. Quiero provocarle, para que considere de nuevo los conceptos preconcebidos que tiene en cuanto a cómo debería ser la iglesia y a la manera de ganar discípulos. Usted necesita estar libre para escuchar lo que dice el Espíritu Santo.

Me gustaría ser un elemento agitador. Antes de que podamos estar abiertos para oír lo que el Espíritu dice a las iglesias, precisamos un lavado de cerebro en lo referente a nuestras formas muertas. Hemos de abandonar los conceptos fijos que tenemos de la iglesia para poder experimentar así, de un modo continuo, la vida siempre nueva de Jesús.

Cuando hablo de ser una luz en nuestras comunidades, al igual que ejercer el sacerdocio con aquellos que forman parte de las estructuras de nuestras vidas, usted se forma una imagen de lo que digo; pero yo no quiero decir lo que usted se imagina: esos conceptos no pertenecen a la vida de Cristo, sino a nuestro sistema eclesiástico.

No estoy hablando de que trate de llevar a la iglesia a sus parientes, amigos y vecinos; ni tampoco de que les dé folletos con versículos bíblicos para convencerles de que necesitan a Cristo —eso forma parte de nuestro sistema—. La mayoría de ellos no están interesados en esas cosas, ya que éstas pertenecen a la religión, y no a la vida.

No sé como decirle esto. . . No creo que haya una manera fácil de hacerlo. Pienso sencillamente que debo expresarlo, aunque parezca difícil.

Creo que está llegando una hora de gran sacudida para todos nuestros sistemas, y sólo aquello que es inconmovible, por tratarse de la vida de Cristo, quedará en pie.

Se acercan tiempos en los cuales no tendremos órganos, ni quizás himnarios o materiales de Escuela Dominical.

¡Puede que hasta nos falten las Biblias! Pero la iglesia primitiva no disfrutaba de ninguna de estas cosas. El Nuevo Testamento no se había escrito todavía; y la mayoría de los creyentes tampoco tenían acceso al Antiguo. Contaban únicamente con el Espíritu Santo; pero ya que éste estaba en ellos durante las veinticuatro horas del día, los cristianos se hallaban en posesión de la clase de fe que no puede ser conmovida. ¡Como consecuencia de esto volvieron el mundo patas arriba!

Ve usted, un sistema eclesiástico puede convertirse en algo que estorba. Debería ser una ayuda para traer a las personas a Cristo; y sin embargo termina siendo un problema. Hemos añadido tantas cosas que nos vemos atrapados y no sabemos cómo librarnos de ellas —nos parecen esenciales.

Déjeme ilustrar lo que entiendo por un estorbo. Nuestra iglesia en la Argentina es carismática; y levantamos las manos cuando cantamos (bueno, a veces lo hacemos y otras veces no). Ahora bien, eso no le gusta a todo el mundo, de modo que el sistema se ha convertido en un obstáculo para muchas personas. En una ocasión invitamos a cierta familia a asistir a nuestros cultos; pero la respuesta que nos dieron fue: —No pienso que queramos ir; no encajamos en vuestro ambiente.

Alguna gente se encuentra más a gusto en un ambiente bautista, o católico, o episcopal... No es que justifique tal actitud; pero me pregunto si a veces las cosas que hacemos en nuestras iglesias no serán la razón principal de que el mundo no quiera ir a ellas. La mayoría de esas cosas, sencillamente, no son normales: son religiosas.

¿Sabe? En general, la gente de la que usted es responsable no asistirá a la iglesia si la invita. ¿Pero ha pensado alguna vez en invitarles a su casa? Allí sí que irán.

Si lleva usted a determinada persona a una iglesia pentecostal, bautista o episcopal, aquella tendrá que superar muchas cosas para llegar a Cristo. Tal vez se trate de alguien anticatólico, anticarismático o contrario a la liturgia; ¡pero no será contrario a los helados!

De modo que le lleva usted a su casa, y ésta, no el edificio de la iglesia, se convierte en el centro de las actividades cristianas de usted. Cuando la iglesia está centrada en un hogar, es más probable que lo esté también en la gente más que en el edificio.

La clave se encuentra en que cada hogar empiece a funcionar plenamente como un centro; cada hogar y cada individuo.

No estoy diciendo que saque su automóvil del garage y vaya a casa de otro para tener una reunión de iglesia. No, eso es lo mismo que ir al edificio de cultos. Me refiero a que lleve a su propio hogar a todos los que forman parte de la estructura de su vida —sus parientes, amigos, vecinos y compañeros de trabajo.

Ahora bien, tampoco estoy hablando de celebrar reuniones en su casa con canciones cristianas y estudio bíblico. Algunas iglesias lo hacen: tienen cien miembros, así que los dividen en cuatro hogares; pero eso es sólo otra iglesia del tipo que tenemos en los edificios.

Lo que digo es que se quede en casa para cumplir con sus deberes del sacerdocio de los creyentes. Comience con su esposa —yo era pastor de la Primera Iglesia de las Asambleas de Dios, pero a mi esposa la tenía desatendida—; empiece por evangelizarla a ella.

¿Qué quiero decir con evangelizar?

Evangelizar significa tener un amor completo: compañerismo, comunión, plena comprensión el uno para con el otro. . . Así que evangelice a su esposa: ámela y supla sus necesidades como el Espíritu Santo le dirija a hacerlo. Luego compruebe cómo está la relación con sus hijos. ¿Se lleva bien con ellos?

¿Y qué me dice de sus parientes?

¿Qué tal le va con sus primos y tías? ¿Cuánto hace que no les ve? Comience a reconstruir esos puentes quemados. Yo lo hice, y fue asombrosa la cantidad de familiares que ganamos para el Señor sin hablar ni una palabra.

Les escribí, restauré la amistad con ellos. . . No les prediqué; sino que compartí con ellos amor. Me arrepentí de haberlos descuidado, rechazado, al dejar que el sistema de la iglesia absorbiera todo mi tiempo. Los gané sólo con amarles.

¿Cuántas mujeres cuyos esposos no conocen al Señor van a todas las reuniones de la iglesia? ¿Es acaso extraño que sus cónyuges no vengan a Cristo? ¡Pero si la iglesia es su rival! Tales mujeres necesitan evangelizar en casa, mostrar el amor de Jesús como les guíe el Espíritu —él le dirá cómo amar si usted le escucha y hace lo que le dice.

En nuestra iglesia de la Argentina tuvo lugar un incidente que me tocó en lo profundo. Llevamos al Señor a una preciosa familia. Se trataba de gente muy rica. El había sido ateo, pero a causa de la sanidad de su hija toda la familia se salvó, comprometiéndose totalmente con el Señor.

Aquel hombre empezó a llevar gente a su casa, y con el tiempo llegaron a reunirse allí alrededor de treinta de sus parientes y amigos. Fue necesario cerca de un año y medio para que el grupo alcanzase esa cantidad, pero cuando se alcanzó cesó la multiplicación.

Una vez que hubieron acabado de testificar a todos sus amigos, no lograron ganar a nadie más para el Señor. Es como cuando uno empieza a vender enciclopedias en su tiempo libre; después de vendérselas a sus conocidos no consigue ninguna venta más.

Lo mismo estaba sucediendo con otras muchas familias. Mi esposa decía: —Juan Carlos, aquellos que han de venir al Señor, han venido ya; y los que no lo han hecho, no vendrán.

Parecía haber un límite al crecimiento, y no podíamos traspasarlo. Entonces decidimos inquirir del Señor cómo sería posible que siguiésemos multiplicándonos.

Preguntamos a aquel antiguo ateo y a su familia: —¿No vendrían al Señor muchos más de sus amigos y parientes si ello no implicara vincularse a un sistema eclesiástico?

El hombre pensó acerca de esto, y a la mañana siguiente me dijo: —Pastor, estoy seguro que muchos más vendrían; pero el problema reside en nuestro sistema eclesiástico, que es un obstáculo.

Aquello hizo que nos pusiésemos a estudiar el asunto.

Si el sistema de la iglesia es esencial para la salvación, empujemos a la gente adentro del mismo; pero si el órgano, los himnos, el coro, el calendario eclesiástico, la junta, los diáconos y los materiales de Escuela Dominical no son indispensables, entonces tal vez deberíamos preguntar al Señor si hay alguna otra forma.

Así que empezamos a orar, y a medida que el Señor nos guiaba, fuimos introduciendo cambios radicales. No estoy sugiriendo que todo el mundo deba hacer esto hoy; pero en nuestro caso surgió de la vida. No se trataba de un concepto, ni de una doctrina; no estábamos intentando crear un nuevo tipo de sistema.

Aquel hermano y su familia tenían un gran apartamento, y en lugar de animarle a llevar más gente a la iglesia, le estimulamos a que hiciese sus propios discípulos en casa. De modo que él invitaba a la gente a su piso, y no a un culto en la capilla.

Seis meses más tarde le visité. ¡Ahora tenía en su hogar una iglesia de más de doscientas personas! Alrededor de 250 de sus parientes habían sido salvos, y todos estaban llenos del Espíritu Santo y plenamente comprometidos con el Señor; pero ninguno de ellos asistía a las reuniones de la iglesia.

Antes de poder ganar a otros para Cristo, necesitamos formar relaciones. A menudo, éstas han sido rotas; de modo que se precisa repararlas. Allí donde hay un cumpleaños, hago un pequeño regalo; o quizás obsequio una planta a mi vecino y comienzo a fomentar una amistad. Aprovecho cualquier oportunidad que se presenta para hacerme amigo de la gente; luego el Evangelio se transmitirá de unos a otros con bastante espontaneidad a través de esas relaciones.

Quizás a estas alturas se imagine usted que estoy en contra de los edificios de la iglesia y de todo lo que tiene que ver con ellos; pero no, no me opongo a los mismos. Yo creo que si hubiéramos de cambiar el centro de nuestras actividades de los edificios a las casas de la gente, encontraríamos un nuevo uso para las construcciones.

De hecho, si yo pudiera añadiría algunas cosas a los edificios de las iglesias: una piscina, un frontón, y tal vez una sauna. No a todo el mundo en la comunidad le es posible tener piscina o sauna en casa; de manera que hay lugar para las mismas en el centro comunitario de la iglesia. Las construcciones existentes podrían utilizarse para celebrar conferencias cuando fuese necesario, así como para ocasiones especiales de alabanza.

Si lográsemos desasirnos de la esclavitud del edificio, comenzaríamos a crecer numéricamente. Quizás por amor a la gente necesitemos cerrar dicho edificio algunos domingos; no precisamos escuchar un nuevo mensaje cada semana. Una vez al mes es bastante apropiado —luego tenemos cuatro semanas para llevarlo a la práctica—. Así, los domingos restantes podemos hacer la obra del Señor. En lugar de celebrar un culto el domingo siguiente, cada uno invitaría a su casa a un amigo o pariente; no para una reunión religiosa, sino a fin de crear una relación.

Tomemos, por ejemplo, el caso de una congregación de 800 miembros los cuales representan a 200 ó 300 hogares. Eso significa que todas estas familias se encuentran evangelizando. Cuando utilizamos el edificio de la iglesia, en muchos casos, sólo asiste la esposa; pero si usamos el hogar, esposo, esposa, e hijos pueden estar juntos; de manera que cada domingo se evangeliza a 200 ó 300 personas.

No cerraríamos el edificio de la iglesia tres de cada cuatro semanas a fin de que la gente pudiera quedarse en casa para ver la televisión, sino con el objeto de que tuviesen la oportunidad de comprometerse en la extensión del reino de Dios. Abrirían sus hogares, no para tener reuniones previamente anunciadas, antes bien con el propósito de amar a sus primos, tías, vecinos, amigos y compañeros de trabajo.

Un mes más tarde, cuando volviéramos al edificio, éste no sería lo suficientemente grande para dar cabida a toda la gente adicional que habría sido ganada para Cristo durante aquellas cuatro semanas de evangelismo. Así que el pastor tendría que decir: —Los de la parte norte de la ciudad que vengan por la mañana, y los del sur, por la tarde.

Las tres semanas siguientes se dedicarían a la misma clase de actividad; de manera que después del segundo mes, el pastor se vería obligado a anunciar: —Los del norte que vengan por la mañana, los del sur por la tarde, y los del suroeste el sábado por la noche.

A la larga, el edificio estaría atestado cada día por diferentes personas procedentes de distintas áreas de la ciudad.

Así funcionaba la iglesia primitiva; puede usted verlo en el Nuevo Testamento. Todos los días, tanto en los lugares públicos como en cada hogar, no dejaban de trabajar para Cristo. Nosotros no hacemos otra cosa que hablar acerca de *comenzar* la obra del Señor; ellos, sin embargo, nunca *cesaban* en la misma.

Somos un real sacerdocio para manifestar el amor de Dios al

mundo; embajadores de Cristo enviados a llevar las buenas noticias a todas las naciones. Es hora de que nuestros edificios de culto nos sirvan a nosotros; en vez de servirles nosotros a ellos. Cuando la iglesia esté centrada en la persona de Jesucristo en lugar de en un sistema religioso, el reino de Dios se extenderá por toda la tierra como ordenó Jesús.

Capítulo 12

¿TIENE DIOS ALGUNA NECESIDAD?

Mucha gente abriga la ligera sospecha de que Dios está enfadado con ellos.

Algunos creyentes sienten en lo más profundo de su ser que el Señor está esperando que hagan la más mínima cosa para castigarles; otros, por el contrario, piensan que él sólo está a favor de los cristianos.

Pero Dios está de parte de todo el mundo. El es el Dios de todas las naciones, y su favor es para todos.

Dios no es el Dios de los judíos solamente, ni tampoco de los cristianos. El ama a los árabes tanto como a los judíos; a los norteamericanos, a los africanos, a los sudamericanos, etc. El los ama y está de parte de todos.

¿Cómo podemos saber que Dios nos ama y está a nuestro favor? Naturalmente él lo demostró de manera suprema en su Hijo. Jesús es el amor de Dios en forma de ser humano.

Sin embargo, Jesús mismo no está ya en la tierra como hombre; de manera que ha escogido a los que creen en él para que manifiesten su amor al mundo. Los creyentes son hoy sus representantes. Nosotros somos Cristo para este mundo.

Si la gente no ve en nosotros el amor de Dios, no lo verá en absoluto. Somos los únicos instrumentos de que dispone Jesús para expresarse en nuestro ámbito de tres dimensions. O contemplan el amor de Dios en Cristo, que mora en vosotros, o no lo verán de ninguna manera.

Siglos antes de que Jesús viniera a la tierra, Dios escogió a una nación en particular para manifestar su amor al mundo. Esta nación era Israel. El hizo un pacto, un convenio con ellos: "Ahora, pues, si diereis oído a mi voz, y guardareis mi pacto, vosotros seréis mi especial tesoro sobre todos los pueblos; porque mía es toda la tierra. Y vosotros me seréis un reino de sacerdotes y gente santa" (Exodo 19: 5, 6).

Cuando Dios llamó a Israel lo hizo pensando en el mundo. El es el Dios de todas las naciones, y él designó a los israelitas para que fuesen un reino de sacerdotes para dichas naciones. Su propósito era utilizarles para mostrar su amor a toda la humanidad. El tenía en mente a toda la creación, a causa de la promesa que había hecho a Adán y Eva concerniente a la serpiente y al Redentor que vendría a liberar al hombre. Ese Redentor no iba a serlo sólo del pueblo judío, sino de todas las naciones: blancos, negros, aceitunados, amarillos... ¿Por qué escogió Dios a Israel?

Lo hizo porque eran los descendientes de Abraham, y él había prometido que a través de Abraham bendeciría a "todas las familias de la tierra". Los israelitas serían los sacerdotes de Dios, para manifestar su amor a todo el mundo.

Pero Israel se llenó de vanidad. "Nosotros somos el pueblo de Dios —decían—; los elegidos. Esas otras naciones son los paganos. ¡Puaf! Nosotros somos los privilegiados, la nación santa".

Se olvidaron del resto del mundo; y no sólo no se convirtieron en sacerdotes para los otros pueblos, sino que llegaron a necesitar sacerdotes ellos mismos. Habían sido escogidos para ejercer el sacerdocio entre Dios y el resto de los pueblos, pero olvidaron su papel hasta el extremo de que el Señor tuvo que darles sus propios sacerdotes; así fueron apartados los levitas para confesar los pecados de Israel y ofrecer sacrificios por su gente.

¿Y qué pasaba con el resto del mundo? La actitud de los judíos era: "¡Que se mueran!" Para ellos las otras naciones no representaban más que basura; de modo que el trabajo nunca se realizó: no manifestaron el amor de Dios al mundo entero.

Ahora las mismas palabras que fueron dirigidas al pueblo de Israel en el monte Sinaí, se nos han dicho a los que creemos en Jesús: "Vosotros también, como piedras vivas, sed edificados como casa espiritual y sacerdocio santo, para ofrecer sacrificios espirituales aceptables a Dios por medio de Jesucristo... Mas vosotros

sois linaje escogido, real sacerdocio, nación santa, pueblo adqui-
rido por Dios, para que anunciéis las virtudes de aquel que os
llamó de las tinieblas a su luz admirable" (1 Pedro 2:5, 9).

En Hechos capítulo 13 vemos a los que ejercían el sacerdocio
en acción.

En la iglesia de Antioquía había profetas y maestros; entre los
cuales se encontraban Pablo y Bernabé. Estaban "ministrando al
Señor"; actuando en el sacerdocio. ¿Y qué decían? La Biblia no
nos lo cuenta; pero ministrar es satisfacer las necesidades de una
persona; ellos estaban supliendo las que tenía el Señor.

¿Y cómo ministraban a Dios?

Durante muchos años no lo supe; porque en el seminario nos
enseñaban a satisfacer las necesidades de la gente, pero jamás
cómo ministrarle a él. Por el contexto, sin embargo, podemos saber
lo que estaban haciendo. El Espíritu dijo: "Apartadme a Bernabé
y a Saulo para la obra a la que los he llamado"; y la iglesia los
despidió.

En otras palabras: Habían estado preguntando al Señor: "¿Y
qué del resto del mundo, Señor?"

Admiro el espíritu que tenía el pueblo de Dios en Antioquía.
Nunca se quejaron de que el Señor tomara a sus pastores y los
enviase a otras naciones; ni profirieron: —No, queremos que ese
pastor se quede aquí; vamos a votar para conservarle.

Así que estaban ministrándole diciendo: "Vamos, Señor, ¿qué
del resto del mundo?"

La respuesta de Dios fue que separasen a sus mejores pastores
y los enviaran a otros lugares. Dos de aquellos, mandados por el
Espíritu Santo, descendieron a Seleucia, y de allí a Chipre. Ese
fue su primer viaje misionero. Estaban ejerciendo el sacerdocio,
nación santa, linaje escogido.

¿Qué significa la palabra sacerdote?

Este término trae a nuestras mentes hombres con largas vestiduras negras; pero no se refiere a eso. Un sacerdote es el que
media entre el hombre y Dios. Otra palabra para lo mismo es
intercesor; que significa alguien situado entre dos partes. El sacerdote quiere adelantar el reino de Dios: promover los negocios
del Señor, sus caminos, sus deseos entre los hombres; y también
se preocupa por los asuntos del hombre en la presencia de Dios.

Es un árbitro entre dos partes; lo cual no siempre supone un trabajo demasiado fácil.

De manera que, en realidad, un sacerdote es un amigo: amigo de Dios que goza de influencia con él; y también del hombre, y con influencia sobre éste. Ministra al hombre a favor de Dios, y a Dios a favor del hombre.

Algunas veces no resulta fácil ser amigo de Dios y del hombre al mismo tiempo; es algo así como cuando uno se encuentra en medio de una carretera de dos direcciones —puede verse golpeado por ambos lados—. Pero esa es la misma esencia del sacerdocio: tener amistad con ambas partes. Si usted no tiene acceso a, aceptación de, y amistad con cada una de ellas, no puede ejercer el sacerdocio.

¿Qué significa ejercer como sacerdote, ministro, intercesor?

Un ministro es alguien que satisface las necesidades de los hombres. Cuando una persona necesita esperanza, sanidad, perdón, o consejo, el Señor utiliza a distintos sacerdotes suyos para suplir la falta de tales cosas. Así que, si me dan mil dólares para repartirlos entre diez personas menesterosas, mi responsabilidad consiste en administrarlos para ellas, y debo pensar en la mejor manera de satisfacer sus necesidades.

Sin embargo, también hemos de ministrar a Dios. "¿Pero tiene Dios alguna necesidad?" —se preguntará usted. Lo crea o no, Dios tiene tremendas necesidades, y precisa en gran manera de nuestros servicios; por eso nombra sacerdotes o intercesores.

Déjeme citarle un ejemplo de las Escrituras. Lo encontrará en Ezequiel 22. Todo ese capítulo describe la horrible condición social, política y espiritual en la que se encontraba el pueblo de Israel.

El versículo 29 lo resume así: "El pueblo de la tierra usaba de opresión y cometía robo, al afligido y al menesteroso hacía violencia, y al extranjero oprimía sin derecho".

¿Cuál era la actitud de Dios hacia ese trágico estado de cosas? "Y busqué entre ellos hombre que hiciese vallado y que se pusiese en la brecha delante de mí, a favor de la tierra, para que yo no la destruyese; y no lo hallé" (versículo 30).

Al no encontrar a ningún hombre que hiciera tal cosa, tuvo que castigarles como nación y entregarles a un enemigo con objeto de detener todo ese sufrimiento que estaban trayendo sobre sí mismos.

Dios se encontraba enojado por la forma en que afligían al pobre, al anciano y al indefenso; pero no quería destruirles a causa de su pecado. Buscaba tan sólo una persona que se pusiese en la brecha delante de él a favor de la nación de Israel, pero no pudo encontrar a ninguna. De haber hallado Dios a alguien con el corazón así, no les habría castigado. Sin embargo, no había ni siquiera un sacerdote —un intercesor— en todo el pueblo.

Uno de los mayores problemas de la iglesia hoy, es que no creemos en un Dios personal, vivo: un Dios existencialista. En vez de ello, nuestro Dios es un conjunto de reglas y doctrinas. Si hacemos lo que dicen dichas reglas, y estamos de acuerdo con las doctrinas, podemos sentirnos seguros; si no tenemos temor.

¡Nuestro Dios es personal! Está lleno de sentimientos y emociones. Se trata de una persona que se siente feliz y también se enfada; que ríe y llora; alguien con quien podemos hablar, a quien se le pueden explicar las cosas; con el cual nos es posible razonar, y que nos comprende; una persona sensata, lógica.

Puede usted venir a él y decirle: "Señor, ¿qué hay de esta situación?"; y él le escucha.

Dios no es un libro lleno de reglas, sino una persona. El necesita amigos, y los está buscando.

Cierto obispo de la India expresaba que había sido un hombre muy religioso antes de convertirse al cristianismo, y había adorado en todo templo imaginable; pero una palabra le hizo cristiano: "acceso".

Nunca encontró acceso a ninguno de sus dioses en todos aquellos templos, aunque había miríadas; sin embargo lo obtuvo a través de Jesucristo. La idea clave del Nuevo Testamento es que tenemos acceso a Dios.

Pero somos demasiado conscientes del concepto antiguotestamentario de Dios, y decimos: "Venimos a tu presencia . . .".

¡Dios está cansado de todo eso! Quiere amigos que le llamen *Abba* —"papá".

En cierta ocasión el Príncipe de Gales vino de visita a la Argentina, y cuando llegó tuvimos todo tipo de ceremonias. Nada más salir él del avión se dispararon varios cañonazos, y luego empezó la música seguida de los saludos formales de los funcionarios del Gobierno. Imagino que al quedarse solo en el hotel, exclamaría: —¡Ufff!

¿Decir eso el Príncipe de Gales?

Pues claro. ¿Piensa usted acaso que vive dentro de un frac? También se pone el pijama —a menos que haga demasiado calor—. Sí, se cansa del protocolo.

Creo que Dios quiere tener comunión con nosotros cuando nos encontramos fatigados y nos sentamos sin zapatos; o mientras nos relajamos en la bañera. Pero nosotros somos demasiado sofisticados, y hacemos uso de todo ese protocolo que le aburre.

Dios es una persona que brinda amistad. El quiere sentarse a su lado y decirle: "Hijo, hija, te quiero". Y desea que usted también le diga que le ama. Por esta razón envió a Jesús al mundo: para abrirnos el acceso, de tal manera que pudiéramos ser sus amigos.

En realidad, algunos de los amigos de Dios no fueron tan santos que digamos.

David era un hombre según el corazón de Dios, pero mire las cosas que hizo. También Abraham, el amigo del Señor, actuó mal muchas veces. ¡De hecho fue uno de los peores! Su padre era un fabricante de ídolos, así que él creció adorando a dichos ídolos. Antes de que Dios le llamara no se portaba demasiado bien. Pero él le hizo amigo suyo por gracia, proponiéndose bendecir al resto de la humanidad a través de él. La razón no era que Abraham fuese alguien especial; sino que Dios le necesitaba como amigo.

—Serás mi preciado amigo —le prometió el Señor—, y de ti nacerá toda una nación que será también amiga mía. Aunque soy el Dios de todos los pueblos, te escojo para que estés cerca de mí, y para bendecir al resto de la humanidad.

Este es el verdadero propósito de nuestra amistad con Dios; no se trata sólo de satisfacer nuestro ego y de que podamos decir: "Soy amigo de Dios".

Una vez, Dios fue a la tienda de Abraham por la mañana y pasó todo el día con él. Puede leer acerca de ello en el capítulo 18 de Génesis.

¡En realidad el Señor durmió en la tienda del patriarca! Qué hermoso es tener a Dios durmiendo en la tienda de uno. Y mientras Sara preparaba pan, yogur y otros platos, y Abraham la ayudaba, conversaban. A Dios le encanta la amistad. Luego, antes de partir, le dio a su amigo la tremenda noticia del nacimiento de Isaac.

¡Imagínese que Dios viniera a pasar todo el día con usted! Los predicadores dedicamos cinco minutos a eso, y cinco a lo otro; pero Dios pasó todo el día en casa de su amigo sólo para darle las buenas noticias acerca de Isaac. Vemos esto de la amistad de Dios a través de todas las Escrituras; él toma verdadero interés en sus amigos.

—Bueno —dijo Dios—, tengo que irme.

Luego pensó para sí: "Voy a destruir las naciones vecinas de Sodoma y Gomorra porque sus pecados están subiendo hasta el cielo. Pero esa gente se encuentra cerca de Abraham, y no le he dicho a éste lo que he determinado. Debería decírselo. ¿Qué clase de amigo es el que no le cuenta al otro sus secretos? Creo que debería ponerle al corriente". De manera que dijo:

—Abraham, ven.

—Sí, Señor —contestó él—, aquí estoy.

—Eres mi amigo, y tengo algo que compartir contigo: Voy a destruir a Sodoma y Gomorra.

—Pero ¿por qué? —inquirió Abraham.

—Porque su maldad ha llegado hasta el cielo y estamos cansados de ella. Están trayendo sobre sí mismos tal desgracia que no nos queda más opción que destruirles.

—Espera un momento —dijo el patriarca—. Hasta ahora no había conocido esta faceta tuya. ¿De veras vas a destruir esas ciudades?

—Sí, a causa de su maldad —respondió Dios.

—¿No hay ninguna gente justa que viva en las mismas? ¿Se ha apartado todo el mundo del buen camino? ¿Destruirás al justo con el injusto? ¡Me cuesta trabajo creerlo de un amigo mío!

—Bueno, no; no quiero exterminar a los justos. De modo que si hay cincuenta personas rectas en la ciudad, no la destruiré.

—Eso está bien. Pero ¿y qué si sólo hay 45? ¿La destruirías todavía?

—Pues claro que no.

—Y supón que no fuesen 45. ¿Qué me dices si únicamente hubiese 40, ó 30, ó 20? ¿Y si se contaran nada más que diez?

—No, no destruiré la ciudad con que haya diez.

—Ah, eso está mejor. Ya sabía yo que eras realmente así. ¡Eres estupendo!

Pero no había diez. El único justo era Lot. Así que cuando Dios llegó a la ciudad, recordó la preocupación de Abraham y sacó a Lot y a su familia de allí antes de destruirla. Lo hizo a causa de Abraham. ¡Qué poderosa es la amistad!

Hay muchos ejemplos de esto en la Biblia. A Dios le gusta tener amigos que conozcan su naturaleza y se pongan en la brecha entre él y el hombre. Eso significa ejercer el sacerdocio del creyente; y el comprenderlo en los tiempos en que vivimos es tremendamente importante.

Capítulo 13

GUARDE SU PROTOCOLO PARA EL PRESIDENTE

La situación en los tiempos del Diluvio era tan terrible, que Dios no podía soportarla más. La tierra entera estaba corrompida, y había una violencia desenfrenada. Todo pensamiento que los hombres tenían era referente a cómo hacerse más daño unos a otros.

De manera que Dios decidió acabar con todo aquello.

Noé era amigo suyo; por lo tanto, cuando el Señor determinó destruir toda la tierra, fue él quien estuvo entre Dios y el hombre como sacerdote. Un buen sacerdote no emplea su influencia para salvarse a sí mismo, sino que tiene en mente al resto del mundo; esta es la razón de que se le escoge para dicha función.

Después del Diluvio, una vez que Dios hubo manifestado toda su ira, meditó en lo que había sucedido en la tierra.

Toda la creación había pecado contra el Señor sin arrepentirse y como resultado fue necesario destruirla.

Cuando el agua se hubo retirado, Noé salió del arca y edificó un altar. Luego tomó un animal de cada especie que Dios había declarado aceptable para el sacrificio, y lo ofreció sobre dicho altar.

Ahora bien, Dios percibió el grato olor de la ofrenda de Noé.

—¿Qué es esta agradable fragancia? Y se acordó Dios de Noé y su familia y su fidelidad.

—Nunca más destruiré la tierra de esa manera. No volveré a maldecirla, ni dejaré que llueva tanto otra vez. Pondré un arco en el cielo para recordarles a ellos de mi pacto.

Ese es el poder del sacerdocio. El ministerio del sacerdocio consiste en cambiar actitudes: la del hombre hacia Dios, y la de Dios para con el hombre.

El recibir un llamamiento al sacerdocio supone una tremenda responsabilidad; ya que muchas vidas dependen de cómo actuamos en esta tarea. Si olvidamos lo que era ser pecadores y empezamos a juzgar y a condenar a la gente en lugar de amarla, nos pareceremos a Jonás: que fue llamado al sacerdocio pero no hizo muy buen trabajo.

Nínive era una ciudad muy pecaminosa, y Dios dijo al profeta Jonás: —Ve y di a los ninivitas que me propongo destruirles; que ya estoy harto de su maldad.

Jonás no quería ir, porque no le importaba toda aquella gente. "¡Que los destruya!" —se decía. De modo que Dios tuvo que persuadirle para que fuera por medio de un gran pez.

Jonás hubiese debido hacer lo que Abraham, pero ¿lo hizo? No, él se alegraba de que los ninivitas fueran a ser destruidos. Nosotros necesitamos sacerdotes que, cuando saben que una calamidad se cierne sobre alguna ciudad o algún país, se presenten delante de Dios, y digan: "No, por favor, no los destruyas".

Pero la actitud de Jonás era como la de algunos de nosotros hoy: "¿Así que vas a destruirlos? Bueno, se lo merecen".

Cuando Dios no destruyó Nínive, Jonás se enfadó.

"Por esa misma razón no quería yo ir allá —dijo—, ¡sabía que los perdonarías si se arrepentían!"

En vez de Jonás, fue el pagano rey de Nínive quien se convirtió en el intercesor por la ciudad. Permaneció en la presencia de Dios a favor del pueblo, y ayunó.

—¡Qué es eso! —exclamó Dios— ¡Mira lo que está haciendo! ¿Cómo puedo destruirlos?

Así que Nínive fue perdonada.

Uno de los más grandes intercesores fue Moisés. El sí que sabía lo que significaba ser sacerdote. ¿Recuerda usted aquella ocasión cuando Dios se airó con el pueblo en el desierto?

—No puedo soportarlo más —dijo a Moisés—, voy a destruirlos y de ti haré una gran nación en su lugar.

Moisés no estaba interesado en sí mismo, porque tenía el amor de Dios. Toda su preocupación era por el pueblo; estaba dispuesto a arriesgar su propia vida identificándose con ellos. Comprendía el principio que había detrás de las palabras de Jesús cuando dijo que si realmente queríamos seguirle, y ser sacerdotes como él es nuestro Sumo Sacerdote, estaríamos dispuestos a tomar una cruz igual que él y a poner nuestras vidas por otros a fin de mostrar el amor que Dios les tiene.

De modo que Moisés contestó a Dios:

—No me quitaré de en medio. Si los destruyes a ellos tendrás que destruirme a mí también.

—¿De qué estás hablando, Moisés? —dijo Dios.

—Quiero decir exactamente lo que has oído. Quítame de tu libro. Todo el mundo dirá: "Mira su Dios, los sacó de Egipto para quebrantarlos en el desierto. ¡Fíjate!" No me conformaré con que lo hagas.

—Pero Moisés, a ti no te pasará nada. Simplemente déjame que destruya a toda esa gente perversa, y comenzaré de nuevo haciendo de ti una nación.

—¡Espera un momento! ¿Es necesario matarlos a todos?

De modo que Moisés tocó el corazón de Dios, porque él no es un conjunto de reglas, ni una lista de "haz esto" y "no hagas aquello". No es alguien que condena y con el cual no se puede razonar. Se trata de una persona; usted puede hablarle.

Jesús vino en un cuerpo humano como el nuestro para ser el sacerdote más grande que el mundo haya conocido. El vivió en esta tierra, así que conoce perfectamente la condición del hombre. No tenemos un sumo sacerdote que sea incapaz de sentir compasión, porque él pasó por todas nuestras experiencias humanas. También conoció el poder de la tentación; y puesto que comprende, podemos hablar con él y cambiar la actitud de Dios hacia una situación determinada.

La razón por la cual no somos buenos en el sacerdocio hoy, es que no sabemos demasiado acerca de la amistad. En lugar de una relación, tenemos una religión. Si contásemos con una relación en vez de todo nuestro protocolo, entenderíamos el corazón de Dios y sabríamos cómo tocarle y cambiar su actitud hacia la gente de quienes se nos ha nombrado al sacerdocio.

¿Qué pasaría si yo dijese a mi esposa: —Señora Ortiz, vengo a su presencia en este día. . . ? ¡Nuestro matrimonio no duraría mucho si lo hiciera! De igual manera, Dios quiere disfrutar de la amistad que existe en una familia. El es nuestro Padre; no un conjunto de reglas —es una persona.

No les estoy dando sólo un concepto; se trata de una realidad. Yo he experimentado esta maravillosa comunión con Dios personalmente. A él le gusta de veras ese tipo de amistad, y la está buscando.

La gente me dice: —Pero a mí me agrada el protocolo, la formalidad cuando me dirijo a Dios.

Sí, pero ¿y qué me dice de lo que le agrada a Dios?

Si le gusta el protocolo, guárdelo para el presidente, o para la reina; pero no se lo ofrezca a Dios. Estamos aquí para ministrarle a él, y no para sentirnos bien siendo muy religiosos.

Nuestro primer hijo, David, dormía durante todo el día y lloraba toda la noche.

Después de algunos meses así, nos sentíamos deprimidos e irritados porque no podíamos descansar; de modo que le dije a Marta: —Voy a darle unos azotes. Tiene que aprender que la noche es para dormir.

Encendí la luz y fui a su cama; allí estaba David, todo sonrisas y diciendo: —Gu, gu. . . —Mira este bribón —dije a mi esposa—. ¿Cómo puedo darle azotes a un niño que sonríe?

Dios es una persona con sentimientos. Noé, Abraham, Moisés y muchos otros cambiaron su actitud, del mismo modo que yo hago con la de mis hijos y mi esposa —y ellos saben cómo cambiar la mía cuando estoy enfadado.

Un sacerdote es alguien que reconcilia a dos partes en conflicto. Ha recibido el ministerio de la reconciliación, y su gozo consiste en ver que las dos partes se arreglen. No hay nada más importante para él que esto; y, al igual que Moisés, está dispuesto a poner su propia vida para que sea posible.

Un pastor de Nueva York, llamado David Wilkerson, se enfrentó a la policía en defensa de algunos drogadictos. Toda la demás gente les acusaba, pero Wilkerson estuvo dispuesto a luchar por ellos; y, como consecuencia, ganó el amor de aquellos drogadictos.

Pero un sacerdote ha de ser amigo de ambas partes, y no alguien parcial. De manera que cuando queremos producir la reconciliación entre un hombre y Dios, primero hablamos a una de las partes:

—Señor —decimos—, yo le entiendo; soy exactamente como él. Pero, puesto que tú nos has creado, tienes derecho a hacer lo que desees.

Luego continuamos: —Sabes que hemos sido malos desde nuestra juventud; sin embargo tú derramaste la sangre de Cristo por toda la tierra... —Vamos —decimos entonces al hombre—, Dios te recibirá.

Y a Dios: —Señor, ¿no querrías dejarle entrar?

Estamos en medio, tratando de conseguir la paz; de modo que tenemos que hablar bien de los hombres a Dios, y bien de Dios a los hombres. Sin embargo, si nos conducimos como chismosos, diciendo: "¡Mira lo que hacen! ¡Eso es terrible!", estamos ayudando a que Dios condene a la gente. Entonces no somos mejores que Jonás, ni idóneos para el sacerdocio.

Hoy día, algunos profetas dicen que California se hundirá en el mar; y quisieran que tal cosa sucediese para corroborar que su profecía era cierta. ¡No necesitamos ese tipo de sacerdocio! Sino aquellos que digan: —¡No, Señor! ¿Vas a hundir ese hermoso estado en su totalidad?

¿Piensa usted que agradará a Dios diciendo: "Sí, señor, destrúyelos a todos"? No, porque él le preguntará a usted: "¿Y tú qué hiciste acerca de ello? Yo busqué un hombre que se pusiese delante de mí a favor de la tierra para que no la destruyese; ¿dónde estabas tú?"

Dios ama al mundo, y creo que todos sus movimientos fueron siempre motivados por el amor. El llamó a Abraham, Moisés, y a un sinfín más para que estuvieran en la brecha entre él mismo y la gente del mundo. Los llamó porque amaba a este mundo. Luego mandó a su propio Hijo para que fuese el gran Sumo Sacerdote a fin de que se irguiera como amigo de ambas partes. Y él le ha colocado a usted donde está para el sacerdocio y para que dé a conocer el amor de Dios a los que le rodean.

El sacerdocio universal de los creyentes es una de las grandes doctrinas del Nuevo Pacto. Todo creyente es sacerdote. Dios dijo: "Falló en el caso de Israel, pero con la iglesia no fallará. Haré de ella un reino de sacerdotes".

Nosotros estamos aquí para mediar entre el mundo y Dios; sin embargo, decimos a nuestros ministros: —Por favor, ore por mí —y eso los coloca a ellos entre Dios y nosotros. ¿Y qué pasa con las personas que no pertenecen a la iglesia? No tenemos tiempo para ellas; estamos centrados en nosotros mismos en lugar de actuar como sacerdotes.

Llevo en el púlpito desde que tenía catorce años de edad. Crecí pasando todo mi tiempo con la nación santa. Era un buen feligrés; y siempre tuve comunión con los profesores del seminario o con pastores.

Entonces descubrí que no sabía qué hacer con los problemas a los cuales se enfrentaba mi gente en sus fábricas y oficinas; de manera que decidí conseguir un trabajo para aprender a ministrarles. Quería tener contacto con sus necesidades. Seguí en el pastorado, pero tomando aquel empleo como parte de mi labor ministerial —para ver cómo vivía la gente.

En mi primer día de trabajo, mis compañeros empezaron a contarme todos los chistes verdes y picantes que conocían. ¡Nunca en mi vida había oído cosas semejantes! No podía creerlo.

El lunes por la mañana todo el mundo llegaba al trabajo y contaba cada una de las cosas sucias que había hecho el sábado y el domingo: las mujeres con quienes se habían acostado, cómo se habían emborrachado. . . todo lo que era repugnante.

Traían fotos a la fábrica, y yo decía: "¡Madre mía! ¿Es ahí donde viven los miembros de mi iglesia? Entonces no estoy ministrándoles en absoluto. Les cuento historias bíblicas acerca del milenio y de las siete trompetas; pero no es eso lo que necesitan. Ellos han de saber cómo hacer frente a las situaciones en las que transcurren sus vidas".

Muchos cristianos están siempre diciendo horrorizados: —¡Mira lo que hace ese individuo! ¡Fíjate qué ciudad tan perversa! Señor, ¿cómo puedes perdonarlos?

Dios no necesita a tales personas; ni nosotros tampoco.

Tenemos tanto miedo de ser contaminados por el mundo, que olvidamos que el que está en nosotros es mayor que el que está en el mundo. Hemos de amar a la gente y mezclarnos con ella como hizo Jesús.

Jesús se convirtió en nuestro pariente cercano. Se encarnó y habitó entre nosotros. El no se separó del mundo, ni puso un cartel sobre su puerta que proclamara: "Iglesia de Jesús". Tampoco esperaba que la gente fuese a él; sino que él iba a la gente.

En cierta ocasión, fue a casa de Mateo y se la encontró llena de publicanos y pecadores. "Mira eso —profirió la gente religiosa—. No puede ser un profeta: está en casa de Mateo, y el sitio se encuentra atestado de pecadores. Allí hay drogas, barajas, prostitutas... ¿Acaso no sabe la clase de gente que es esa? Si fuese profeta los conocería y evitaría".

Pero Jesús iba de todas maneras, y les contaba historias acerca del reino de Dios; porque no había venido para condenar, sino para salvar.

Nosotros somos demasiado santos, y olvidamos fácilmente lo que supone ser pecador. ¡Así que vamos a la parte reservada para los no fumadores y dejamos a los fumadores morir!

Para ejercer el sacerdocio tenemos que ser amigos de ambas partes, con objeto de reconciliarlas. Hemos de involucrarnos en las vidas de las personas a fin de traerlas a Dios. Esto es lo que significa ser un intercesor: uno que media entre dos partes.

Pablo escribió a Timoteo: "Exhorto ante todo, a que se hagan rogativas, oraciones, peticiones y acciones de gracias, por todos los hombres; por los reyes y por todos los que están en eminencia, para que vivamos quieta y reposadamente en toda piedad y honestidad. Porque esto es bueno y agradable delante de Dios nuestro Salvador, el cual quiere que todos los hombres sean salvos y vengan al conocimiento de la verdad" (1 Timoteo 2:1–4).

Esto es lo que agrada a Dios: un amor por todos los hombres; y no que digamos: "Dios, juzga a esos terribles pecadores".

A Dios no le gusta ese tipo de oración; él quiere que todos los hombres sean salvos, y debe entristecerse cuando nos ve tan egocéntricos y únicamente preocupados por nosotros mismos.

—¡Aleluya, vamos al cielo!

Sí, ¿pero qué pasa con toda la demás gente? El que tengamos esa actitud desagrada a nuestro Salvador, porque él desea que todo el mundo vaya allí.

La Biblia dice: "Porque de tal manera amó Dios al mundo. . ." Cambiémoslo por: "Porque de tal manera amamos nosotros al mundo que haremos cuanto podamos para que sea salvo". Eso es lo que significa ejercer el sacerdocio del creyente.

Capítulo 14

NO PODEMOS ESCOGER A NUESTROS HERMANOS

En cierta ocasión estuve en un culto en el que el pastor predicó en contra del fumar; y pidió a todos aquellos que quisiesen abandonar el tabaco que trajeran sus cigarrillos al frente.

Fue muy conmovedor ver a la gente llevar sus cajetillas de tabaco, sus cajas de cerillas y sus encendedores, y tirarlos al suelo para que todo el mundo pudiese pisotearlos y andar sobre ellos. Me alegró de una manera especial ver allí a gente joven. ¡Qué testimonio!

Pero algunas veces me parece que colamos un mosquito y nos tragamos un camello. En la Biblia hay amonestaciones mucho más claras que: "No fumarás".

Fíjese, por ejemplo, en la oración de Jesús a su Padre en Juan 17:20-23:

"Mas no ruego solamente por éstos, sino también por los que han de creer en mí por la palabra de ellos, para que todos sean uno; como tú, oh Padre, en mí, y yo en ti, que también ellos sean uno en nosotros; para que el mundo crea que tú me enviaste. La gloria que me diste, yo les he dado, para que sean uno, así como nosotros somos uno. Yo en ellos, y tú en mí, para que sean perfectos en unidad, para que el mundo conozca que tú me enviaste, y que los has amado a ellos como también a mí me has amado".

¿Tiene usted alguna duda respecto a que la Biblia afirme claramente que la iglesia ha de ser una? Las Escrituras son absolutamente explícitas en su revelación de la unidad y universalidad de la iglesia de Jesucristo.

Pero no somos uno. Dése un corto paseo en automóvil y verá cuántos diferentes edificios de culto cristianos hay en su comunidad —tal vez tres o cuatro.

Estos edificios distintos proclaman: "Estamos divididos". No sería tan mala la situación si todas las iglesias de un mismo vecindario de casas utilizasen el mismo edificio en diferentes ocasiones, poniendo su propio cartel en la puerta sólo cuando estuvieran usando el inmueble. Pero eso no nos gustaría.

El problema es que pensamos en el pecado sólo en términos de asesinato, robo, adulterio o mentira. Nos sentimos horrorizados cuando alguien es infiel a su cónyuge; ¡e incluso nos espanta que se fumen cigarrillos! Condenamos los pecados de la carne, mientras pasamos por alto los del espíritu. Ya es hora de que tomemos consciencia de que nuestra división es muy pecaminosa desde el punto de vista de Dios.

La oración de Jesús se registró con la intención de que nosotros la escuchásemos. De hecho, si no es contestada, se nos pedirá cuentas por ello. Se copió para que nosotros pudiéramos oírla y actuar en consecuencia. Es como si Jesús orase en voz alta en medio de nosotros; él quería que su oración se tomara en serio.

Cuando mis hijos desean algo de mí, oran en voz alta: "Señor, toca el corazón de papá para que nos lleve a Disneylandia". Ellos quieren que yo escuche su petición porque tienen el deseo de que la misma sea contestada.

Jesús rogó en alto para que su oración pudiese quedar registrada en nuestras Biblias, en cada uno de los diferentes idiomas que tenemos. Está en todas las Biblias, ¿sabe?, en aquellas con cremallera y en las que no la llevan. Se dijo en voz alta para que todo el mundo pudiera comprender cuál era el mayor y más profundo deseo del corazón de Jesús. En eso tenía él puesta la mente mientras se preparaba para ir a la cruz; de manera que es muy importante que también nosotros pongamos en ello nuestros pensamientos.

Nos llamamos cristianos porque Cristo es el centro de nuestro mensaje, de nuestras vidas y de nuestro sistema eclesiástico. El es el centro de todos; por eso tenemos cruces por acá y por allá: en el exterior de nuestros edificios, dentro de ellos, y muchas veces sobre nuestras personas. Predicamos a Cristo, oramos a Cristo, alabamos a Cristo, hablamos acerca de Cristo... En nuestro instituto bíblico teníamos una tremenda expositora de los evangelios que nos enseñaba, no sólo la letra, sino la vida de los mismos. Recuerdo todavía la ocasión en que, al llegar al capítulo 17 de Juan, dijo: "Esta es la oración de Jesús, así que vamos a leer el capítulo de rodillas". De manera que lo hicimos.

¿Cuál es la razón de que nos esforcemos tan poco por cumplir este deseo de Jesús, si le amamos tan profundamente y predicamos tanto acerca de él? ¿Por qué no actuamos según sus palabras para que su gozo sea cumplido?

En realidad, nosotros los pastores somos los principales responsables, ya que representamos las asas de la comunidad cristiana. Somos nosotros quienes, de un modo especial, necesitamos prestar atención a la oración de Jesús. Podemos ser buenos ministros de nuestras denominaciones; pero cuando me ordenaron, aunque lo hicieron en una iglesia denominacional, me dijeron que estaba siendo consagrado como ministro del Señor Jesucristo. Así que mi fidelidad, mi lealtad, mi compromiso, es en primer lugar con él; y luego con la denominación.

Ahora bien: la iglesia es una y universal. Sólo hay una iglesia en todo el mundo; pero ésta tiene sus expresiones en cada localidad. La iglesia en Niágara Falls es el grupo de miembros que forman parte de esa iglesia universal y que al mismo tiempo viven en Niágara Falls. La iglesia en Buffalo está compuesta por aquellos miembros de la única iglesia los cuales residen en dicha localidad.

Esta es la razón de que la Biblia habla de la iglesia en Corinto, la iglesia en Antioquía, la iglesia en Tesalónica, etc.

La Biblia es consistente en su revelación de esas dos dimensiones de la iglesia: la universal y la local. El problema de hoy es que tenemos una tercera clase de iglesia que no es ni universal ni local: la denominación.

Ahora bien, esto nos crea una dificultad importante; ya que no hay revelación en las Escrituras referente a la formación de una denominación. Podemos leer el Nuevo Testamento de tapa a tapa pero no la encontraremos.

¿Qué hemos de hacer entonces con nuestras denominaciones? Bueno. . . no nos es posible destruirlas porque han llegado a ser una forma de vida para nosotros. Además, aquellos que vemos la visión de la iglesia como Jesús se proponía que fuera, por lo general no estamos en una posición de poder cambiar el sistema; así que lo mejor que podemos hacer es sencillamente vivir como una sola iglesia —como si no existieran nuestras denominaciones.

El problema, realmente, no es la denominación en sí —si creemos tal cosa nos estamos engañando—, ¡el problema somos nosotros! La denominación supone sólo otra excusa para que nuestra carne se enrede en la división; cosa que le agrada. Es un pretexto para el orgullo, los celos y la envidia.

—Ellos tienen un órgano —dice la iglesia número dos de la ciudad—; deberíamos comprar uno nosotros también, pero que fuera más grande.

—Ellos cuentan con más asistencia —expresa la iglesia más pequeña—; pero no son santos. Puede que nosotros seamos pocos; pero tenemos más santidad.

Aun en la misma congregación encontramos divisiones. Hay, por ejemplo, rivalidad entre los diáconos y los ancianos. El problema es la carne, no el sistema. Este representa únicamente una de las muchas formas que encuentra la naturaleza carnal para expresar su carácter divisivo.

La mayoría de las denominaciones empiezan de la misma manera: En una iglesia un grupo de gente ladra contra otro, dividiéndose sobre un asunto específico. Entonces los otros les responden. Dos no pelean si uno no quiere; pero nos ladramos unos a otros y viene la división. Las denominaciones son sólo una consecuencia de dicha división.

Martín Lutero dijo que el Papa era el Anticristo, y la iglesia Católica la Gran Ramera del libro del Apocalipsis. ¡No resulta extraño que le excomulgaran! Por mucho menos nos harían lo mismo a nosotros hoy en nuestras denominaciones.

Así los protestantes se dividieron de los católicos; escindiéndose luego entre ellos muchas veces más. De esto resultaron cientos de denominaciones.

Yo amo a Martín Lutero; y creo que jugó un papel muy importante en la historia de la iglesia. Eso no significa, sin embargo, que todo cuanto hizo estuviera bien. Allí hubo una mezcla de la carne y del Espíritu, como sucede con todos nosotros. Esto es lo que produce el problema que tenemos: las divisiones son una obra de la carne.

La naturaleza de la iglesia es ser una. No es posible que sea de otra manera, ya que es la iglesia de Dios —que es Uno—. Aunque Dios sea Padre, Hijo y Espíritu Santo, es uno; su naturaleza es ser uno.

¿Recuerda usted cuando Moisés recibió el llamamiento para liberar de Egipto a los hijos de Israel? Dios le habló en el monte, desde una zarza que ardía, llamándole:

—¡Moisés!

—¿Quién eres? —preguntó éste— Dime tu nombre.

—¿Mi nombre? —contestó Dios; y pensó para Sí: "Pobre Moisés, está tan acostumbrado a tantos dioses diferentes que piensa que soy uno de ellos; así que quiere que le dé mi nombre y me identifique"— Moisés, Yo no tengo nombre.

—¿Cómo es eso?

—Porque aparte de mí no hay ningún Dios.

¿Entiende usted? Necesitamos nombres para identificar a una persona de otra porque somos muchos. A Eva hubo que ponerle el suyo porque ya había un Adán; si éste se hubiese quedado solo, únicamente habría sido él mismo, sin necesidad de nombre.

—Vamos, Señor —dijo nuevamente Moisés—, dime cómo te llamas.

—Moisés, ya te he dicho que no tengo nombre.

—¡Pero necesito uno!

—Bueno, diles que "Yo Soy" te ha enviado.

—¿Yo *soy* qué?

—No, no... "Yo soy". Nada más. No hay otro.

—Pero, no puedes... —Moisés, yo soy el que soy; así que ve y diles: "Yo Soy" me ha enviado a vosotros.

—Que nombre tan raro.

La primera cosa que me pregunta la gente, es:

—Hermano Ortiz, ¿de qué iglesia es usted?

—De *la* iglesia —respondo.

—¿De la iglesia qué?

—De la iglesia. De la iglesia, y punto.

—¿La iglesia "Y Punto"?

—No, no... Y punto no es el nombre de la iglesia; quiero decir la iglesia.

Mire en las Escrituras y dígame si encuentra un nombre para la iglesia. Es sencillamente la iglesia de Dios —la iglesia es la iglesia—; significa los "llamados afuera" por el Señor, y está formada por todos aquellos que Dios ha llamado a salir del reino de las tinieblas y a entrar en el suyo.

¿Ha sido usted llamado afuera? Entonces pertenece a la misma iglesia que yo. Por naturaleza, la iglesia es una; porque a todos se nos ha llamado a salir de todo lo demás para entrar en el reino de Dios.

Realmente no deberíamos hablar de que la iglesia está dividida. Usted puede dividir el número 10 en diez unos, dos cincos o cincos doses; y también un grupo de cinco en dos grupos (tres y dos) o cinco unos. Incluso el dos es posible fraccionarlo en dos unidades. Pero lo que no puede hacer usted es dividir el uno. La iglesia es una, y no es posible dividirla; una unidad sólo puede romperse.

Cuando a uno se le amputa una pierna, no dice: "Han dividido mi cuerpo"; sino: "Me han cortado una de mis piernas".

Así también, la iglesia no se divide, se rompe en pedazos; y el trabajo del ministerio consiste en unir todos esos trozos e intentar sanarla para que actúe como una sola.

En los días del rey Salomón, hubo dos mujeres cada una de las cuales dio a luz a un niño la misma noche. Ambas se encontraban durmiendo con sus bebés, cuando una de ellas se dio la vuelta y aplastó a su hijo; de manera que estando la otra todavía dormida, le robó el suyo y puso el bebé muerto en la cama con ella.

A la mañana siguiente, la mujer descubrió a su hijo muerto; pero reconoció que en realidad el suyo era el vivo. Como nadie había presenciado el cambio, se entabló una disputa. Cada una pretendía que el bebé vivo le pertenecía; así que trajeron el caso a Salomón para que lo juzgara.

—Las dos mujeres afirman ser la madre del mismo bebé —dijeron al rey—, y no hay testigos; no sabemos qué hacer.

—Eso es ridículo —contestó Salomón—. Si ambas pretenden que la criatura es suya, divídanla. Tráiganme al bebé y una espada. Lo dividiremos ahora mismo y daremos a cada una la mitad.

—No, no lo dividan —exclamó la verdadera madre—. Dénselo a ella.

—Sí, divídanlo —expresó la otra.

En la actualidad tenemos el mismo problema con la gente. Algunos, cuando hay cuestiones sobre las cuales dos partes están en desacuerdo, dicen: "Dividan". Otros expresan: "No" —porque comprenden que un cuerpo no puede dividirse sin que muera.

La dificultad con la iglesia hoy, es que hemos perdido de vista el hecho de que hay un mundo que conquistar.

La iglesia primitiva estaba sólo empezando. Era pequeña, pero conquistaban. Adondequiera que iban, por toda la tierra, un deseo les consumía: hacer que todo el mundo adorase a Jesucristo. Ellos predicaban a Jesús, no una teología sistemática.

El objetivo de la primera iglesia no era tener una congregación mayor para poder decir: "La nuestra es más grande que aquella". Tampoco consistía en formar denominaciones separadas sobre la base de ciertas doctrinas, y llamarse metodistas o presbiterianos. Su único propósito era extender el reino bajo Jesucristo. Tenían unidad porque estaban centrados en Jesús.

Hoy no estamos bajo Cristo, sino bajo nuestras banderas; así que la iglesia se encuentra fragmentada en cientos de denominaciones. Pero Jesús no tiene muchas iglesias. La iglesia es la novia de Cristo.

No me pregunte a qué iglesia pertenezco, porque sólo existe la iglesia. Tenga cuidado cuando dice "bautista", "metodista" o "luterano". Estos son solo nombres para identificar grupos en el pueblo de Dios. Ninguno de estos en sí mismos son la iglesia.

Nosotros no podemos escoger a nuestros hermanos. Todos los hijos de Dios en la misma área pertenecen a una sola iglesia, les guste o no les guste. No podemos decir: "Tú eres mi hermano, pero aquél no".

¿En qué familia puede uno elegir a sus hermanos?

En la mía somos cinco, y yo nací el último; de manera que cuando vine al mundo los otros cuatro ya estaban aquí. Yo no los escogí, ni ellos me eligieron a mí. Al nacer se trataba de un hecho que éramos hermanos.

¿Teníamos nosotros alguna responsabilidad por ello? Nosotros no hicimos nada para ser hermanos, los culpables fueron mamá y papá. El que mi hermano sea mi hermano no es algo que yo haya decidido por mí mismo; se trata de una cosa que tengo que aceptar.

Lo mismo pasa en la familia espiritual de Dios. Uno no puede seleccionar a sus hermanos y hermanas. Tal vez pueda escoger a sus amigos, pero no a sus hermanos.

La iglesia está formada por todos aquellos que tienen al Hijo en su interior. Ya sean anglicanos, adventistas del séptimo día o católico romanos, si el Hijo de Dios se encuentra dentro de ellos, están en el reino; pertenecen a la familia del Señor. Esto no depende de su enfoque filosófico, sino de la vida que poseen.

Jesús afirmó: "Yo soy el camino, y la verdad, y la vida". Nuestro sistema religioso nos dice que si creemos que Jesús es el camino basta; que eso es suficiente para ser salvo.

Pero no es así. Jesús no es el camino simplemente para que podamos creer que lo es; sino para que nos sea posible caminar con él. Es la verdad, no sólo para que yo pueda estar convencido de ello, antes bien para que tenga la posibilidad de confiar en él. Y es la vida, no únicamente para que yo pueda creerlo, sino para que me sea posible vivir dicha vida. No nos basta simplemente con estar en posesión de una doctrina o de un concepto; debemos tener la realidad.

A los cristianos primitivos les llamaban los de "el camino". ¿Es la Iglesia Anglicana el camino? ¿Lo son tal vez los metodistas o los bautistas?

No, el camino es Jesús. No importa que sea usted miembro de una denominación o de una congregación independiente. Estar en "el camino", es tener a Aquel que es "el camino".

Si está usted en Jesús, se encuentra en el mismo camino que yo. Si tiene al Hijo en su interior, tiene la vida de Dios. El que usted crea o no en el milenio, en la venida de Cristo antes o después de la Tribulación, etc., no es importante. Esas cosas dividen al pueblo de Dios y no son de valor para la vida diaria; representan únicamente un enfoque intelectual de la filosofía de la Biblia. Puede que posean cierto interés, pero no tienen nada que ver con el hecho de ser o no hermanos.

La iglesia tiene tendencia a ser un club cristiano. Los clubes son instituciones en las que todos los miembros acuerdan seguir ciertos principios.

Si empezamos un nuevo club, digamos de no-fumadores o no-bebedores, es porque todos estamos de acuerdo en no consumir tabaco o alcohol; de modo que lo que nos une es la abstinencia de esas cosas. En el caso de que comencemos uno de hombres solteros, será que todos lo somos —si uno se casa, ¡fuera del club!

Cuando nos reunimos en torno a principios o doctrinas, formamos clubes; cualquier cosa que esté centrada en una serie de reglas o conceptos lo es. Pero si nos congregamos alrededor de una persona viva cuyo nombre es Jesús, entonces somos una iglesia.

En la Argentina tenemos dos grandes clubes rivales de fútbol, que están realmente enfrentados el uno al otro. La gente viene de todas partes del país para presenciar sus principales partidos. Yo asistí cierta vez; pero no pienso volver, ya que casi me mataron.

Cuando nos convertimos, llegamos a ser bautistas o episcopales: clubes rivales. En el pasado nos peleábamos por la política o por nuestro equipo de fútbol; ahora lo hacemos por nuestras doctrinas. Pero se trata de la misma carne que encuentra nuevos canales para manifestarse.

Yo antes pertenecía a una iglesia que oraba de rodillas, y nunca de pie o sentada. En cierta ocasión visitamos otra congregación donde la gente se levantaba para dirigirse a Dios, y nos escandalizamos: "¡Pero qué es esto! —pensamos— ¡No puede tratarse de cristianos, porque oran de pie!"

Hoy, la cuestión tal vez sea si en el bautismo a un hermano se le sumerge o se le rocía; o si dicho hermano habla o no en lenguas. Pero todas esas divisiones existen porque estamos más centrados en las doctrinas que en la vida.

Una persona llega a ser hermano suyo cuando es engendrado por el Padre. Yo soy su hermano, aunque no le gusten algunas de las cosas que estoy diciendo. Lo siento, no puedo evitarlo, soy su familiar, acepte usted el hecho o no lo acepte. En realidad, mejor haría en reconocerme ahora, ya que es posible que mañana, allá arriba, el Señor coloque mi casa al lado de la suya.

¿Quién sabe a qué persona pondrá Dios en la misma habitación de nosotros en nuestro celestial "Hotel Palacio"? ¡¡Los pentecostales y los presbiterianos juntos por la eternidad!! Mejor haríamos en familiarizarnos ahora unos con otros, y en aceptarnos a pesar de nuestras filosofías.

Cuando Jesús viene a la iglesia, no encuentra gozo en nuestras divisiones doctrinales. El nos manda que nos arrepintamos de las enemistades que hay entre nosotros. Si Cristo vive en nuestro interior, y somos guiados por su Espíritu, nos aceptaremos mutuamente como miembros de su cuerpo, no a causa de nuestras doctrinas, sino sólo porque él nos ha aceptado. Entonces seremos una iglesia; puesto que todos compartiremos una vida común: la vida de Jesús en nosotros.

Capítulo 15

DOS CLASES DE SABIDURIA

¿Cree usted que las divisiones son contrarias a la voluntad de Dios?

Naturalmente que sí; la Biblia es muy clara al respecto. Y si van en contra de la voluntad del Señor, es que dichas divisiones son pecado. ¿Por qué no tratamos el pecado de la desunión como los demás?

En muchas de nuestras iglesias se puede oír decir a algunas personas: —Ese hermano es un hereje; si no se va, tendremos que echarle— e insisten en que todo el mundo debería creer como ellos.

Sin embargo, a los que se debería expulsar es a aquellos que viven en desunión; que no hacen nada para poner fin a la misma. Pablo y los otros escritores del Nuevo Testamento son más firmes en su denuncia de las personas que causan división que contra cualquier otra forma de pecado.

Nosotros somos muy estrictos acerca de los pecados de la carne; pero cuando se trata de las divisiones en la iglesia, la gente me dice: —Hermano Ortiz, en esto está usted fuera de órbita; pero que muy descentrado. Es usted demasiado idealista. Deje de soñar y vuelva a la realidad. Hemos estado divididos durante todas nuestras vidas, ¿y nos pide que cambiemos ahora?

Nos hemos acostumbrado tanto a las divisiones que no las vemos como un problema serio.

En los libros del cielo no escriben el nombre de la denominación de uno; sólo el suyo propio. No hay un libro separado para los bautistas y otro para los metodistas; siento tener que decirle que allá arriba mezclan a todos. ¡Tal vez se alarmaría usted si supiese qué nombres aparecen después del suyo! ¡Dios podría poner a católicos y pentecostales unos al lado de otros, y a los bautistas a continuación de los metodistas! Me gustaría contemplar ese libro para ver detrás de qué nombre viene el de usted. Allí los nombres están escritos simplemente por el orden en que se entra en la iglesia, no por denominaciones. ¿Quién sabe al lado de qué persona aparecerá el suyo?

La dificultad estriba en que estamos tan centrados en las doctrinas que no vemos más allá de éstas. Si Jesús se encontrase en el centro de nuestras iglesias, nuestro punto de atención sería la vida. Pero en vez de ello, lo son los conceptos; de manera que disculpamos nuestras divisiones diciendo: —Es que ha de haber un límite en algún sitio.

En el amor no hay temor. Cuando amamos no necesitamos temer a las diferencias doctrinales, porque nuestro énfasis no está puesto en la doctrina.

"De tal manera amó Dios al mundo. . .". No las doctrinas bautistas o presbiterianas. "Al mundo" —con todos sus conceptos erróneos y sus terribles pecados—; y no cuando era "justo", sino cuando se encontraba en una condición perdida. El vino a un mundo dividido, confuso y pecaminoso, y lo amó.

Mucha gente está convencida de que tiene las doctrinas correctas, pero una de dos: o son ingenuos, o les falta honradez. ¿Cómo es posible que se halle usted tan seguro de que sus doctrinas son las verdaderas si no ha estado en las escuelas teológicas de las otras denominaciones?

Digamos que es usted presbiteriano. ¿Sobre qué base puede tener la certeza de hallarse en posesión de la doctrina correcta si no ha asistido a los cientos de otros seminarios eclesiásticos?

Para afirmar tal cosa, debería usted ir a los mismos y examinar cuidadosamente lo que enseñan. No basta con escuchar la instrucción que se da de segunda mano. Tiene que asistir a sus escuelas teológicas y estudiar meticulosamente las doctrinas de éstas antes de poder estar tan seguro: a las católicas, las luteranas, las de las asambleas de Dios, las adventistas del séptimo día, las bautistas, las metodistas, las nazarenas. . . Y cuando haya terminado de estudiar en todas ellas, si no se ha vuelto loco puede decidir cuál es la que tiene razón; o comenzar una nueva.

Sin hacer esto, es el colmo de la arrogancia creer que usted tiene todas las doctrinas correctas; y la arrogancia conduce a las divisiones.

En realidad, nuestros seminarios no enseñan la Biblia como pretendemos. Yo era profesor de nuestra escuela bíblica, y he tenido que admitir que en la misma impartíamos la doctrina de nuestra denominación, y usábamos las Escrituras para "probarla".

Si usted asiste a una escuela bíblica pentecostal, le sucederá esto; y cuando vaya a una de los adventistas del séptimo día, ¿qué cree que le enseñarán? ¡La doctrina adventista! ¿Y qué utilizarán para "probarla"? La Biblia, claro. En caso de que el seminario sea presbiteriano, las cosas serán también así.

Podemos aprender una lección tremenda de la iglesia primitiva. En un momento determinado había dos iglesias: la que giraba en torno a Antioquía, y la que tenía como centro Jerusalén. Las doctrinas que enseñaban una y otra eran diferentes; porque la de Jerusalén estaba compuesta por judíos, y la de Antioquía principalmente por gentiles.

La iglesia de Jerusalén creía en la circuncisión, en guardar la ley de Moisés, en adorar en el templo, en observar todas las fiestas de Israel y vivir según las costumbres y las tradiciones de la ley y la cultura israelitas. ¡Incluso ofrecían sacrificios en el templo! De hecho, recordará usted que cuando Pablo visitó Jerusalén se afeitó la cabeza y sacrificó como cualquier otro judío.

La única diferencia que había entre los judíos de la iglesia y los demás, era que los apóstoles y sus discípulos creían en Jesucristo, lo cual les hacía salvos. Se trataba de judíos como es debido, que además tenían fe en Jesús. Aparte de su cambio de actitud respecto a él, eran exactamente como los otros. De Jesús decían:
—Es más que un profeta; es el Hijo de Dios.

Sin embargo, la iglesia de Antioquía era muy diferente; ya que se trataba de gentiles que no tenían ni idea de quién fuera Moisés. Tampoco sabían nada de la ley o de la circuncisión —Pablo les había dado a conocer a Cristo, no la religión judía.

Después de su conversión, Pablo había ido al desierto. No comenzó a predicar el Evangelio a los gentiles el mismo día que conoció al Señor; sino que testificó por un poco de tiempo a los judíos que Jesús era el Cristo, y luego se apartó a un lugar solitario.

En su vida hubo muchos años de oscuridad, durante los cuales no sabemos qué pudo sucederle. Estuvo solo tal vez diez años; y en el transcurso de ese tiempo, Dios trabajaba en su mente. Cuando reapareció, lo hizo con la comprensión de que los gentiles podían ser plenamente salvos sin aceptar el sistema judío. Así que fue a ellos y les predicó a Cristo crucificado. ¡En eso consistió todo! Eran gentiles, salvos por completo simplemente porque creían en Cristo como su Salvador y su vida.

Jesús era la razón de su salvación; no Jesús y la circuncisión, o Jesús y cualquier otra parte de la ley: sólo Cristo.

Cuando algunos judíos fueron a visitar las iglesias gentiles, surgieron los problemas. Esos hermanos creían que si los gentiles habían recibido realmente el Espíritu Santo, con toda certeza se circuncidarían y obedecerían a la ley. Daban por sentado que Pablo les habría enseñado todo lo concerniente a las costumbres de Moisés.

Piense en las dificultades que hubieran resultado de haber ido el apóstol al mundo gentil obligándoles primero a hacerse judíos para luego poder recibir a Cristo. ¡Vaya trabajo! Ello habría significado descansar en días totalmente distintos, comer un tipo de comida diferente. . . Es decir, vivir como judíos.

Cuando un grupo llegó a Antioquía para visitar a la iglesia de aquella ciudad, el Espíritu era el mismo: había el mismo amor, el mismo gozo, la misma paz. . . una vida idéntica. Los hermanos recibieron a los visitantes de Jerusalén y celebraron un magnífico culto de alabanza. Alabaron al Señor, cantaron en el Espíritu, profetizaron y hablaron en lenguas. ¡Era maravilloso para judíos y gentiles adorar a Dios juntos!

Después del culto, el pastor dijo: —No podemos dejar que estos hermanos de Jerusalén se vayan al hotel cuando nosotros tenemos unos hogares estupendos donde podrían quedarse.

Así que los judíos creyentes fueron conducidos a las casas de los creyentes gentiles. A la mañana siguiente, los gentiles preguntaron a sus invitados:

—Hermanos, ¿qué les gustaría para desayunar? ¿Está bien huevos con jamón?

—¿Qué?

—Tal vez prefieran tocino. . . —¿Quéee. . . ?

—He dicho huevos con jamón o huevos con tocino. . . —¡Pero esas cosas son inmundas!

—No, nosotros somos gente limpia. Vengan a la cocina y véanlo ustedes mismos.

—No, no. . . quiero decir que el jamón es algo que Moisés nos prohibió comer. El dijo que no comiésemos cerdo, jamón o tocino; porque son inmundos.

—¿Moisés? ¿Quién es? Nunca ha estado en nuestra iglesia; no conocemos a ese predicador.

—¡Pero qué ignorantes! ¿No me diga que no saben quién es Moisés? Pero bueno, sin duda ustedes han sido circuncidados. . . —¿Circuncidados? ¿Qué es eso?

—¿La circuncisión? ¿No saben lo que es la circuncisión. . . ?

—Nunca hemos oído hablar de ella. . . Pero si la quieren para desayunar podemos ir al mercado a ver si tienen. . . —¡No, no! ¡La circuncisión no es ningún alimento de desayuno! Es lo que nos enseñó Abraham que debíamos hacer. El circuncidó a su hijo Isaac, y Moisés la puso como un elemento central de la ley.

—¿Abraham? Qué suerte tienen en Jerusalén, ¡allí están todos los predicadores!

¡Vaya confusión! Tanto, de hecho, que tuvo que celebrarse un concilio general en Jerusalén para arreglar el asunto. Pablo y otros varios tuvieron que recorrer todo el camino de vuelta desde Asia con objeto de resolver la cuestión.

Pero hoy tenemos un problema similar. Algunas personas me dicen: —¿Es cierto que los católicos han recibido el Espíritu Santo?

—Sí —les contesto—, muchos de ellos se han abierto al Espíritu.

—¡Qué bien! ¿De modo que ya no creen en la Virgen María o en el Papa?

—Muchos de ellos siguen creyendo en la Virgen como siempre; y también en el Papa.

—¡Ah, entonces no puede ser el Espíritu Santo!

—Dios conoce sus corazones; usted y yo no.

Hay cosas que son esenciales y cosas que no lo son. Los cristianos de Jerusalén pensaban que puesto que los gentiles habían recibido el Espíritu Santo, ahora eran judíos. Pero Pablo sabía lo que contaba; y había enseñado sólo acerca de Cristo a aquellos gentiles.

Si queremos ganar al mundo, necesitamos limpiar el mensaje de salvación, liberándolo de nuestros sesgos doctrinales. ¿Cómo podemos convencer a la gente cuando lo que predicamos varía de iglesia a iglesia?

En una iglesia tenemos que aceptar a Cristo más el órgano, el himnario, la liturgia y el consejo de ancianos; si uno va a otra distinta, ha de reconocer al obispo; cuando se ha sido salvo en un grupo de discipulado, la persona debe comprometerse en el asunto de la sumisión y la autoridad... Según la iglesia, uno tiene que aceptar a Cristo más el sistema.

Yo creo que lo esencial es Cristo en nosotros. El es la persona importante. Jesús en nosotros es nuestra única esperanza de gloria.

Ahora bien, usted y yo no podemos hacer que todas las iglesias se unan; pero sí producir un aumento en la conciencia de la horrenda situación en la cual nos encontramos.

Voy a sugerirle dos cosas que todos podemos hacer para contribuir a acabar con nuestras divisiones:

En primer lugar, lea lo que dice Santiago en el tercer capítulo de su carta, versículos 14–18:

"Pero si tenéis celos amargos y contención en vuestro corazón, no os jactéis, ni mintáis contra la verdad; porque esta sabiduría no es la que desciende de lo alto, sino terrenal, animal, diabólica. Porque donde hay celos y contención, allí hay perturbación y toda obra perversa. Pero la sabiduría que es de lo alto es primeramente pura, después pacífica, amable, benigna, llena de misericordia y de buenos frutos, sin incertidumbre ni hipocresía. Y el fruto de justicia se siembra en paz para aquellos que hacen la paz".

Hay dos clases de sabiduría: aquella que es terrenal, falta de espiritualidad, diabólica —la sabiduría que parece tan "correcta", pero que causa rivalidad y división—; y la que viene del cielo: pura, amante, pacificadora, considerada, dócil, llena de misericordia, imparcial, sincera.

¿Cuál de ellas tiene usted? ¿La que causa divisiones o la que produce paz?

Lo primero que sugiero, por lo tanto, es que nunca volvamos a hablar contra ningún grupo. ¡Jamás! Diga: "Señor, no abriré ésta boca mía para criticar a ninguna otra iglesia". Si no podemos jugar un papel activo en cuanto a producir la unidad, sí nos es posible, desde luego, desempeñar uno pasivo cerrando nuestras bocas. Esto fomentará la paz.

En segundo lugar, amemos a aquellos que no piensan como nosotros. Sabemos que aman a Cristo —y no es un asunto de si nos quieren a nosotros, sino de si le aman a él—. Yo no viajo alrededor del mundo tratando de que la gente me ame a mí; sino de que amen al Señor. De modo que si usted le ama a él, es mi hermano; somos uno en Cristo.

Pensemos en nuestras diferentes denominaciones religiosas como si no existieran. Vaya a la convención bautista, o a la de las asambleas de Dios, si tiene la oportunidad, como si no hubiese ninguna diferencia. Asista a su propio grupo o iglesia, y sea fiel al mismo; pero ignore los elementos divisivos. Para usted y para mí, no están ahí; sólo son para aquellos que practican la falsa sabiduría, de modo que podemos hacer caso omiso de ellos.

En cierta ocasión me llevaron a una hermosa iglesia bautista. Allí no decían "¡Gloria al Señor!", pero pude disfrutar de su maravilloso edificio.

Cuando oigo que los católicos están construyendo una nueva iglesia, digo: "¡Fantástico, gloria al Señor! *Tenemos* otro nuevo edificio".

Pablo expresó que el mundo entero es nuestro: ya sea Pablo, Pedro o Apolos, todos son nuestros. Si usted escoge a Pablo, sólo le tiene a él; pero si no elige a ninguno, los tiene a todos. ¿Comprende? Si escoge, únicamente tendrá a los presbiterianos o a los bautistas; no obstante, si no lo hace, todos son de usted —puede aprender del rico patrimonio de cada uno de ellos pasando por alto las divisiones.

Pero tal vez diga: —¿Cómo puedo aceptar a alguien cuando creo que sus doctrinas son totalmente erróneas?

Nuestro problema es que tenemos unas bases de aceptación equivocadas. Se trata de las mismas que emplea el mundo, mientras que deberían ser aquellas sobre las cuales Dios nos acepta a nosotros.

¿Nos acepta Dios porque somos amables, tenemos un buen carácter o somos extrovertidos? ¿Lo hace acaso debido a que estamos en posesión de lo que creemos que son las doctrinas correctas? ¿O quizás porque hacemos todo tipo de buenas obras?

No, nos acepta gracias a la sangre de Cristo.

Cuando lleguemos al cielo, la canción no dirá: "Estamos aquí arriba porque creemos en el milenio y tenemos la teología correcta sobre la Trinidad"; sino: "Estamos aquí por la sangre del Cordero". El será Aquél en quien nos gloriemos; y no en la teología que definió las doctrinas.

Vamos a pasar la eternidad con Dios gracias a la sangre de Jesús; no por la teología de Lutero, Calvino o Wesley; ni tampoco por lo que se enseñaba en Princeton, Dallas o Pasadena.

Si Dios me acepta debido a la sangre de Jesús, ¿quién es usted para mirarme sobre otra base, de la manera en que lo hace el mundo? Si usted ama a los que le aman, y con quienes está de acuerdo, ¿es diferente en algo del mundo?

Dios me ama porque mis pecados, equivocaciones, errores y fracasos han sido perdonados mediante la sangre de Jesús; así que yo le amo a usted porque sus pecados y faltas han sido también perdonados.

En cierta ocasión oí un sermón tremendo acerca de cómo la justicia de Dios nos cubre como un abrigo nuevo; pero me pregunto por qué puede él vernos en dicho abrigo, y nosotros no somos capaces de reconocernos unos a otros vestidos con el mismo. Si ese abrigo es suficiente para Dios, ¿cómo es que no lo es para nosotros?

Le veo a usted vestido con la justicia de Dios. Ahora, ponga ese abrigo sobre el atuendo de su denominación. Vístase con el uniforme del Señor; porque, en la cena de las bodas del Cordero, él proporciona los vestidos a los invitados; no traemos los nuestros propios. Y Dios no va a preguntar: "¿Cuántos de ustedes son de tal denominación y cuántos de tal otra?" A él no le interesa nuestra vestimenta denominacional, sino sólo la ropa que él nos da.

En la parábola que contó Jesús acerca de un rey que dio un gran banquete con motivo de la boda de su hijo, aquellos que fueron invitados no quisieron asistir; de manera que el rey se puso furioso y dijo: —¡Que los maten a todos!

Luego expresó: —El banquete está dispuesto, la carne suculentamente asada, la Coca-Cola fría... Vayan e inviten a todo el mundo: al enfermo, al cojo, a los mendigos... a todo el que quiera venir.

Así que los siervos salieron y se encontraron con un pordiosero.

—Oye tú —le dijeron—, el rey te ha invitado a la boda de su hijo.

—¿El rey? ¿A mí? Están locos.

—Sí, a ti; has sido invitado.

A todo el mundo habían convidado. No podían creerlo, pero de cualquier manera decidieron ir.

Un joven, sin embargo, actuó de forma diferente.

—Oigan —dijo—, ¿me ha invitado a mí el rey?

—Sí, a ti también.

"Ah, siempre creí que era alguien importante" —pensó para sí; y se fue a su casa, buscó el mejor traje que tenía, lo planchó, se peino y se empapó bien de colonia. Cuando llegó a la boda, y estaba a punto de entrar, le dijeron: —Espera un momento. ¿Adónde vas?

—A la boda.

—Primero tienes que pasar por esa habitación de allá, a fin de que te den la ropa que te proporciona el rey para la fiesta.

—Yo no necesito ninguna ropa; he traído mi propio traje.

—Lo siento, pero en este tipo de boda has de llevar la ropa preparada por el rey.

—Estas son mis mejores prendas; superiores a las de cualquier otra persona. Llevaré lo que llevo ahora.

Así que entró; una vez en la fiesta, se dio cuenta de que todo el mundo estaba vestido de lino fino y hermoso brocado. En comparación con aquellas vestiduras, las suyas parecían trapos inmundos; entonces se sintió desastrado.

—Esto es terrible —se dijo—, ¿qué puedo hacer?

Trató de esconderse, pero era imposible —sobresalía entre todos—; y ya sabe usted... le echaron.

¿Qué ropa tiene usted puesta?

Cuidado... mejor será que tome las vestiduras que proporciona el rey. Lo que cuenta es la justicia de Jesucristo; no sus propias doctrinas o el nombre de su denominación. Somos justos, no gracias a nosotros mismos, ni por pertenecer a una confesión religiosa particular, sino solamente debido a la sangre de Jesús.

Nosotros oramos: "Perdónanos nuestras deudas como también nosotros perdonamos a nuestros deudores". Se nos perdona sobre la misma base que hemos de hacerlo nosotros. ¿Y cuál es esa base? La sangre del Cordero. Somos perdonados en virtud de la sangre derramada de Jesús; y perdonamos a otros porque también están bajo esa sangre.

El Padre me acepta a mí por la sangre de Jesucristo a través de la gracia. Ello no tiene nada que ver con lo que hago o pienso. Y debe usted aceptarme por la misma razón. Eso significa que me perdona todas mis doctrinas equivocadas; y yo a usted. Le perdono si es usted episcopal, bautista o luterano. ¡Está usted perdonado igual que yo!

Cuando Jesús viene a la iglesia, si él es nuestro centro de atención, no podemos hacer otra cosa más que amarnos y aceptarnos unos a otros.

La división y la falta de unidad son el resultado de añadir algo a la simple fe en Jesús; pero si él es el centro de nuestras vidas, nos convertiremos en una iglesia como él pretendía que fuese. Y por nuestro amor de unos para con otros, el mundo verá que Jesús está verdaderamente vivo hoy.

Capítulo 16

¿POR QUE NOS QUIERE DIOS?

A muchos de nosotros nos resulta muy difícil amar a otra gente. Pero el amor es un mandamiento para el cristiano. No se trata de una opción, sino de una orden. Jesús dijo: "Un mandamiento nuevo os doy: Que os améis unos a otros; como yo os he amado, que también os améis unos a otros" (Juan 13:34).

Una de las razones por las cuales tenemos esa dificultad para amar a otros, es porque no conocemos realmente la profundidad del amor de Dios por nosotros.

De manera que vamos a echar un vistazo a cómo Dios nos ama. Cuando descubramos esto, aprenderemos a querernos unos a otros. Nosotros hemos de amar con la misma clase de amor que él nos tiene.

Hay muchos pasajes de las Escrituras a los que podríamos acudir con objeto de comprender el amor de Dios por nosotros; pero quiero utilizar uno que ha sido de gran significado para mi propia vida. Se trata de Colosenses 2:13, 14.

"Y a vosotros, estando muertos en pecados y en la incircunsición de vuestra carne, os dio vida juntamente con él, perdonándoos todos los pecados, anulando el acta de los decretos que había contra nosotros, que nos era contraria, quitándola de en medio y clavándola en la cruz".

¿Sabe cuándo empezó Dios a amarle a usted?

Estando muerto —¡vaya momento para comenzar!

La fase más impotente y falta de atractivo de la vida de un ser humano, es cuando exhala ese terrible hedor. Además, no sólo

142

estábamos muertos, sino muertos en nuestros pecados. De modo que no se trata del cuadro de una persona acostada en un bonito ataúd y envuelta en seda; antes bien del de un cadáver en el fango, tendido en medio de toda la inmundicia.

Pero aun cuando éramos tan poco atractivos, Dios nos quiso. El no amó a personas de aspecto agradable a la vista que llevaban la Biblia bajo el brazo y una grabadora "cassette" en la mano, sino a cuerpos muertos en toda su suciedad.

Una vez me pregunté a mí mismo: "¿Por qué nos quiere Dios?" Muchas personas se han quedado perplejas ante esta pregunta. Ahora yo creo entender la razón. *Es porque él nos hizo y somos sus hijos.* Si usted tiene niños, dígame: ¿Son perfectos? ¿No desobedecen ninguna vez? ¿Están siempre limpios y aseados? Claro que no.

¿Entonces por qué los quiere?

Porque son sus hijos. En ocasiones hacen algunas cosas que están muy mal; pero usted todavía los ama —tiran la leche en la alfombra, escriben en las paredes, lloran por la noche, se portan mal cuando hay visita... sin embargo, los quiere de todas formas.

No hay ningún misterio en lo concerniente a su amor por ellos: los ama porque no puede hacer otra cosa sino amarlos. Así que no se sorprenda de que Dios le quiera a usted. Usted le pertenece; y a pesar de todo, él le ama.

Cuando entiende que Dios le ama exactamente como es, uno empieza a relajarse. El saber que se le acepta y se le ama tal cual es, hace desaparecer toda la tensión de su relación con él.

Así es como hemos de amarnos unos a otros; simplemente como somos. No deberíamos amar a alguien porque es bueno, correcto o simpático, sino sencillamente porque somos hermanos.

Dios nos ama porque él nos hizo y le pertenecemos. Nosotros deberíamos querernos unos a otros simplemente porque somos personas, no debido a unas determinadas cualidades deseables. Si Dios tuviera en cuenta nuestro comportamiento, nuestras obras, nuestras doctrinas, etc., ¡nos odiaría! Pero él nos ama porque somos sus criaturas, y todos hermanos y hermanas en la misma familia creada.

También nos quiere porque él nos dio vida.

Si usted tuviese un hijo o una hija, y éste o ésta muriera, ¿le resucitaría si pudiese hacerlo? Claro que sí. Entonces no se maraville de que Dios lo hiciera; porque él tenía poder para ello. Cuando estábamos muertos, él nos dio vida ya que somos sus hijos.

¿Se enfada usted algunas vez con sus niños? La mayoría de nosotros lo hacemos.

También Dios se enoja con nosotros. En cierta ocasión, su enfado llegó a tal extremo que envió un diluvio para que se llevara a la mayoría de sus hijos; arrepintiéndose de haberlos creado.

He visto suceder lo mismo con algunos padres después de que sus retoños fueran apresados por la policía debido a que estaban tomando drogas y robando para poder pagarse su vicio. Les he oído decir: "¡Ojalá que nunca hubiese tenido hijos!" Pero más tarde ven a éstos bajo otra luz, y ya no se arrepienten de haberlos traído al mundo.

Lo mismo pasa con Dios.

Otro día, Dios mandó un segundo diluvio, el cual resolvió el problema que tenía con sus hijos de una vez por todas.

Ese segundo diluvio fue la sangre que brotó de Jesús en la cruz. El plan de Dios consistió en poner a todo el mundo sobre esa cruz, en Cristo. Tanto es así, que Pablo expresa: "Con Cristo estoy juntamente crucificado, y ya no vivo yo" (Gálatas 2:20). Y otra vez, en 2 Corintios 5:14: "Uno murió por todos, luego todos murieron".

Jesús no murió por Sí mismo, ya que él no necesitaba morir y nacer de nuevo; no precisaba ser salvado. Cristo no tenía pecados por los cuales pagar, ya que nació y vivió sin pecado. Vino al mundo de una virgen, para que el pecado de Adán no le afectara; así podía ser el Cordero de Dios sin mancha. De haber sido él mismo un pecador, no hubiese podido pagar por nuestros pecados: su muerte fue por nosotros, no por su propia persona.

La cruz era una forma de ejecución corriente en aquel entonces; los romanos mataban en cruces a decenas de millares de individuos. Muchos de ellos morían inocentemente, como mártires. La diferencia que hubo con la muerte de Jesús, fue que desde el punto de vista del Padre no era realmente su Hijo quien estaba muriendo allí, sino usted y yo. Por esa razón Dios volvió la espalda a su propio Hijo; porque se había identificado con la totalidad de la raza humana, convirtiéndose en el pecado personificado. El que no tenía pecado, fue hecho pecado por nosotros.

Jesús tomó voluntariamente nuestro lugar, llevando sobre sí la condición humana pecaminosa. A los ojos de Dios era culpable, aunque en su persona fuese inocente.

Es de gran importancia que comprendamos esto; ya que si mira usted a la cruz y ve allí a Jesús colgado, con el cuero cabelludo atravesado por espinas y chorreando sangre, y dice: "¡Pobre Jesús!", estará contemplando sólo a un mártir. Pero si fija su vista en dicha cruz, y ve pendiendo de ella lo que Dios puso allí, se descubrirá a sí mismo. Cuando esto sucede, Jesús llega a ser su Salvador.

¡Usted era el problema con el que Dios quería terminar! Y esta vez nadie se quedó fuera; ni siquiera Noé. Desde el primer ser humano del huerto del Edén, hasta la última persona que todavía no ha nacido, todos fuimos puestos en esa cruz. Usted y yo aún no habíamos venido al mundo, pero nos encontrábamos en la misma: porque aquella cruz abarca a toda la raza humana caída. Este es el segundo diluvio en el que Dios acabó con toda la gente.

Cuando Jesús dijo: "Consumado es", quería dar a entender que Juan Carlos Ortiz había terminado. Ese era mi problema: Juan Carlos Ortiz; pero Dios acabó con el mismo matándome en aquella cruz. ¡Y también puso fin al mayor problema de usted!

Pero no sólo estábamos en Cristo cuando murió, sino igualmente cuando resucitó. Eso es lo que representa nuestro bautismo.

La dificultad reside en que muchos de nosotros no entendemos el significado del bautismo, y algunas veces intentamos producir una experiencia emocional del mismo porque pensamos que hemos de sentir algo para nacer de nuevo. Incluso ciertos predicadores tratan de crear la clase de atmósfera que estimule nuestras emociones hasta el punto de hacernos llorar, creyendo que eso supone una evidencia de nuestro nuevo nacimiento.

Pero tal cosa es completamente errónea. De hecho, yo prefiero una persona nacida de nuevo con los ojos secos, a otra que los tiene húmedos; ya que aquella que no se emociona tanto, quizás comprenda mejor lo que le ha sucedido.

Nuestro bautismo declara que creemos que, cuando Jesús murió, nosotros también fuimos crucificados y sepultados con él. Cristo experimentó asimismo la resurrección. En nuestro caso no necesitamos pasar por la crucifixión, el entierro y la resurrección;

146 / *Jesús en nuestras vidas—hoy*

sino sólo creer en lo que ya sucedió en él.

Si Dios lo dice, yo lo creo; no necesitamos buscar sentimientos. Cuando aquellos que basan su fe en las emociones, no las tienen, quizás tampoco tengan dicha fe; pero si su creencia está fundada sobre los hechos, éstos nunca cambian.

Usted no dice: "Hoy siento que Washington fue el primer presidente de los Estados Unidos". El hecho de la presidencia no tiene que ver nada en absoluto con los sentimientos de usted.

Tampoco expresa: "Siento que hoy es martes". Lo sienta usted o no, es así.

El basar nuestra fe en los sentimientos es construir sobre un cimiento de arena poco estable; sin embargo, el fundarla en los hechos de lo que Dios dice que nos ha sucedido en Cristo, supone edificar sobre una base sólida que jamás se moverá.

Desde el punto de vista de Dios, hemos sido puestos en la cruz: estamos en Cristo.

Pablo expresa esto de un modo muy sencillo, cuando en Romanos 5 describe a los padres de dos razas distintas: Adán, cabeza de la especie humana física, y Cristo, el segundo Adán, primer representante de una nueva raza. En Adán, eventualmente venimos a ser pecadores; en Jesús, todos somos constituidos justos.

Toda la raza humana estaba incluida en Adán; y de igual manera, aquellos que creen en Cristo, en su totalidad, se encuentran comprendidos en Jesús.

Desde el mismísimo primer ser humano que anduvo sobre la tierra, hasta el último que haya de vivir jamás, todos vendrán a ser pecadores a causa de Adán; siendo asimismo constituidos justos gracias a Cristo. Las Escrituras dicen que cuando Jesús murió, descendió a las profundidades de la tierra y predicó a aquellos que vivieron antes de la cruz; lo cual significa que ésta fue válida para toda la raza humana. Pero personalmente debemos de creer en la cruz y apropiarnos de la efectividad de la misma.

Por el pecado de Adán, vengo a ser pecador; pero gracias a la justicia de Jesús se me constituye justo mediante la fe.

"Cuando estábamos muertos, nos dio vida" —un hombre muerto no puede ayudarse a sí mismo.

Una de las primeras cosas que un niño aprende es a decir: "¡No!" Nacemos con la tendencia a pecar. Somos pecadores desde el día que endosamos el pecado de Adán pecando nosotros mismos. Dios es el único que sabe cuando es que pasamos de la inocente infancia a una desobediencia consciente.

Pero la Biblia declara: "De modo que si alguno está en Cristo, nueva criatura es; las cosas viejas pasaron; he aquí todas son hechas nuevas" (2 Corintios 5:17).

Cuando creemos en Cristo llegamos a formar parte de una nueva humanidad —lo que él llevó a cabo en su muerte y su resurrección se convierte en realidad para nosotros simplemente con creer—; en ese mismo instante empezamos otra vez la vida: nuestra vieja persona ha muerto y una nueva ha nacido.

Pero veamos lo que significa esa muerte.

En el pasaje de Colosenses que estamos considerando, Pablo sigue diciendo: "Perdonándoos todos los pecados". ¿Cuántos pecados? ¡Todos!

¿Sabe usted lo que eso significa? El *todos* de Dios es diferente al suyo y al mío. Si yo le digo a alguien: "Hermano, le perdono todo lo que hizo contra mí", aunque no lo exprese, se entiende que ese perdón abarca todo cuanto sé. Si al día siguiente descubro otra cosa terrible, vuelvo a desafiarle: "¿Y qué me dice de esto también?"

Cuando Dios dice "todos", él conoce la totalidad de las cosas, y ese "todos" es mayor que el nuestro. El sabe cada detalle de los pecados que hemos cometido en nuestra vida muchísimo mejor que nosotros mismos.

También es evidente que cuando yo digo: "Te perdono todo", quiero dar a entender todo hasta el momento presente. Pero, de ahora en adelante... ¡ándate con ojo! Mientras que en el caso de Dios, él conoce el futuro. Cuando nos salvó, sabía el problema en que se estaba metiendo; conocía todo lo referente a nosotros desde el comienzo hasta el fin de nuestras vidas.

Dios es un ser eterno; y para alguien eterno no hay pasado ni futuro.

Como nosotros estamos limitados, tenemos pasado y futuro al igual que presente. Pero Dios lo ve todo en presente, y por esa razón puede tomar algo que va a suceder dentro de mil años y mostrárselo a usted en una visión o por medio de una profecía.

El no necesita esperar hasta el final del año para hacer un

balance de sus negocios como usted y yo; puede realizar su contabilidad antes de que empiece el año. Dios sabe todo de antemano —de antemano para usted y para mí, ya que para él no existe la antelación: Dios no vive en términos de días y noches; y para él mil años son como un día.

Einstein expresó que si pudiésemos viajar a la velocidad de la luz nos sería posible vivir continuamente en el presente. Pero Dios es el Padre de la luz, el Creador de ella, quien dijo: "Sea la luz". El vive en otra dimensión en la que el tiempo no cuenta.

Naturalmente, Dios es el único que vive en el presente.

Nosotros no conocemos ese presente: sólo tenemos pasado y futuro. El perfecto presente no existe para nosotros. Cuando yo expreso: "Estoy en el presente", al decir la palabra "presente", ésta ya es pasado. Cuando profiero: ". . . sente", "pre. . ." pertenece al pretérito. A fin de gozar de un perfecto presente necesitaríamos detener el tiempo; y en la dimensión en la cual vivimos, no podemos hacerlo. De manera que el presente es prerrogativa de Dios.

Para Dios no hay futuro. Su nombre es: "Yo soy", lo cual habla por sí solo del eterno presente. También Jesús dijo: "Antes que Abraham fuese, yo soy".

Ya que nosotros vivimos en la dimensión del tiempo, argumentaríamos: —Señor, no sabes gramática; deberías decir: "Antes que Abraham fuese, Yo *era*".

—No, caballero: Yo soy.

—Pero "antes que Abraham fuese" es pasado; así que lo correcto sería decir: "Yo era".

—¿Qué quieres decir con "pasado"?

¿Entiende? Para Dios no existe el tiempo. Todo es perfecto presente. También por eso dijo Jesús: "Y he aquí yo estoy con vosotros todos los días, hasta el fin del mundo". No expresó: "Yo estaré con vosotros"; sino: "Yo estoy".

La Biblia nos presenta sentados en los lugares celestiales.

—Señor, vaya equivocación —proferimos—. Quieres decir que "estaremos sentados", en el futuro, porque todavía no lo estamos.

—No, quiero decir que *están* sentados, presente.

También se habla de nosotros como predestinados, llamados y justificados —con lo cual nos es posible estar de acuerdo—; pero luego se añade: "Glorificados".

—¿Glorificados? No, todavía no. . . —Sí, ahora; glorificados.

—¿Cómo puedes decir eso, Señor?

Dios vive en el reino eterno, del cual nosotros no somos conscientes en nuestro estado natural. Pero dicho reino es más verídico que el mundo "real" que nos rodea.

Cuando morimos, perdemos nuestra consciencia presente del tiempo y del espacio, y entramos en la dimensión de Dios. En esa dimensión, Jesús es el Cordero de Dios ofrecido antes de la fundación del mundo, ya que para él no hay otro tiempo sino el perfecto presente.

¿Cree usted de veras que Jesús le quitó sus pecados al morir en la cruz? Naturalmente. ¿Pero cómo pudo hacerlo si todavía no había usted nacido? ¿Cómo le fue posible pagar por pecados que ni siquiera había usted cometido?

Puesto que él vive en el presente, Dios conocía todos los pecados en los cuales usted caería antes de que eso sucediera en la dimensión del tiempo y del espacio: todos ellos. ¿Piensa acaso que uno de estos días puede cometer algún pecado que tome a Dios por sorpresa?

¿Le es posible imaginarse a Dios diciendo: "¡Qué horror, olvidé poner éste en la cruz!"?

No, eso no puede suceder; no es posible pillar desprevenido al eterno "Yo Soy".

Si Dios le ha llamado, relájese; él sabía a quién llamaba; conocía todo acerca de usted, desde el principio de su vida hasta el fin de la misma; y él le perdonó todas sus transgresiones.

Cierto día recibí una revelación del significado de la palabra *todos* en mi propia vida.

Durante muchísimos años había sufrido de terribles jaquecas. ¿Sabe usted lo que es una jaqueca? Los que no las tienen lo desconocen —es algo así como cuando los solteros pretenden saber de qué manera criar hijos; aunque hayan aprendido acerca de esas cosas en la escuela, no saben lo que es—. Una jaqueca es algo horroroso.

Yo solía padecerlas dos o tres veces por semana. Empezaban aproximadamente a las 5:30 de la mañana como un pequeño dolor en mi frente que se extendía luego al área del ojo acompañado de síntomas de náusea, un pulso más rápido y desmayos frecuentes.

Había ocasiones en las cuales enloquecía; y no pudiendo permanecer encerrado en la oscuridad de mi habitación, salía y me desmayaba.

Tres veces me desvanecí en el púlpito, y tuvieron que llevarme al hospital.

No necesito decir que fui a los mejores médicos de la Argentina, Norteamérica y Europa. Contaba con amigos en la iglesia que eran doctores, y que hicieron cuanto pudieron por mí, mandándome por último a un siquiatra.

Dicho siquiatra me recetó valium, lo cual tomé por algún tiempo; hasta que decidí que no debía hacerlo más. Pero las jaquecas continuaron, empeorando cada vez más.

No mucho después de escribir el libro *Discípulo*, me encontraba en casa estudiando este pasaje de Colosenses 2 para mi beneficio personal, y dije: —Señor, ¿significa esto que me has perdonado aun por las cosas que todavía no he hecho? ¡Entonces eso quiere decir que me aceptas como soy!

Dios parecía contestarme: —Tú eres predicador; deberías saber esto.

En efecto, lo había predicado —yo era profesor de Romanos en nuestro seminario—; pero aunque sabía estas cosas en mi mente, todavía no me habían bajado al corazón. Comprendía que tengo paz con Dios no por mi actuación, sino a través de Jesús; sin embargo, aún no había entendido que la única manera de conseguirla conmigo mismo era también por medio de él, y no a través de mis actos.

Aquel día, el Espíritu Santo siguió hablándome:

—¿Sabes cuál es tu problema, Juan Carlos? Que no te has aceptado a ti mismo como eres.

—¡Espera un momento! —proferí— ¿Cómo puedo aceptarme a mí mismo como soy, conociéndome como me conozco? No me es posible hacerlo; en realidad estoy bastante preocupado por mi situación. Mi carácter deja mucho que desear. . . ¡No, no puedo aceptarme a mí mismo!

El Señor pareció impacientarse un poco conmigo: .

—Si la sangre de Jesús mi Hijo es suficiente para mí —me desafió—, ¿quién eres tú para que no sea lo bastante buena para ti? ¿Eres tú mejor que yo?

Entonces empecé a comprender que el ser aceptado no tenía nada que ver con la actuación; fuese lo malo que fuese, la sangre de Jesús bastaba. Además, si Dios me había perdonado y aceptado como era, mejor haría en aceptarme yo también.

—¿Sabes, Juan Carlos? —siguió diciendo el Señor— te conozco mejor que tú mismo; de hecho eres peor de lo que crees. Pero te he aceptado, no por tu actuación, sino a causa de la sangre de Jesús. Aunque sé todas tus injusticias, te las he perdonado sin excepción; hasta el día mismo de tu muerte. A menos que te perdones a ti mismo todos tus agravios —no sólo algunos, sino todos—; y te prometas que siempre vas a seguir haciéndolo, nunca encontrarás la paz contigo mismo.

¿Sabe usted de dónde viene la paz interior? De aceptarse a uno mismo. ¿Entiende por qué tenemos problemas con la gente que nos rodea? Dichos problemas son un reflejo de las dificultades que experimentamos en nuestro interior; y tales dificultades, a su vez, son causadas por la falta de fe en que nuestro problema con Dios está resuelto completamente y para siempre.

Con cuánta verdad dice el himno: "Mi fe está edificada sobre la sangre y la justicia de Cristo; todo otro terreno es arena movediza". Ya no me fijo más en mi actuación, sino en aquello que Dios mira: la sangre de Jesús.

Aquel día me dije a mí mismo: "Juan Ortiz, perdóname por lo rudo que he sido contigo. Te he golpeado; y a veces hasta odiado. He sido semejante a un masoquista, tratando siempre de condenarte. No es extraño que experimentaras depresión e insomnio. Pero ahora te pido perdón. Juan Carlos, te perdono todo lo pasado, presente e incluso futuro. Estás completamente perdonado".

Así que di un abrazo a Juan Carlos, nos fuimos a la cama, y muy pronto estábamos dormidos.

Tres semanas más tarde me dije: "¿Dónde han ido a parar mis jaquecas?" ¡Han pasado varios años y no he vuelto a tener ninguna! Al hacer las paces conmigo mismo, se acabaron por completo.

¿Sabe usted por qué a veces no recibimos sanidad? Porque no tratamos la causa: que es nuestra falta de paz. Yo había ido a médicos, pero también a muchos predicadores de sanidad por la fe. A cada uno con quien entraba en contacto, le pedía que orara por mí. Entre ellos había algunos grandes nombres; pero nada sucedía.

Imagínese que tiene usted un clavo en el zapato, el cual le está haciendo daño en el pie, y que va por ahí cojeando con mucho dolor y pidiendo a todo el mundo: "¡Por favor, hermano, ore por mi pie!" Y aunque lo hacen uno tras otro, nada ocurre. ¿Cuál es la respuesta? Tiene usted que sacarse el clavo. ¿Verdad que es sencillo?

No en vano dice la Biblia: "El castigo de nuestra paz fue sobre él, y por su llaga fuimos nosotros curados". Nuestra salud se ve directamente afectada por la sensación interior de paz que tenemos. ¡Jesús nos quita el clavo del zapato!

Ni las muchas oraciones, ni las muchas visitas al médico, podían curarme. Mi problema era una falta de aceptación de mí mismo; así que el mismo día que esto se subsanó, mis jaquecas terminaron. Me perdoné todas mis ofensas del mismo modo que Dios me había perdonado. Y al hallar la paz, hallé asimismo la sanidad.

Capítulo 17

MUY BIEN, PERO LE AMO

Cuando alguna gente oye que se nos han perdonado todos nuestros pecados, pregunta: "Pues si el Señor ya me ha perdonado todo, e incluso los pecados que todavía no he cometido están ya solucionados, ¿por qué debería esforzarme tanto en no pecar?"

En realidad esta es una buena pregunta. Dios nunca tuvo la intención de que nos inquietásemos y preocupáramos acerca de si volveríamos a pecar. Cuando Pablo trató este mismo asunto, dio a entender que habría de ser un estúpido para pensar que una persona que había muerto al pecado pudiera seguir viviendo en el mismo. El no dijo: "¡Cuidado! Es peligroso. Mejor será que te esfuerces de veras para no caer en el pecado".

No, lo que expresó, fue: "Es imposible para uno que está muerto continuar en el pecado".

La gracia de Dios tiene dos dimensiones. La primera es el perdón de todos nuestros pecados; y la otra: "Os daré corazón nuevo, y pondré espíritu nuevo dentro de vosotros; y quitaré de vuestra carne el corazón de piedra, y os daré un corazón de carne. Y pondré dentro de vosotros mi Espíritu, y haré que andéis en mis estatutos, y guardéis mis preceptos, y los pongáis por obra" (Ezequiel 36: 26, 27).

Recibimos el Espíritu Santo, y el fruto del Espíritu es: amor, gozo, paz, paciencia, benignidad, bondad, fe, mansedumbre, templanza; y "contra tales cosas no hay ley" (Gálatas 5: 22, 23).

Por lo tanto, uno que tiene el nuevo corazón no precisa de ninguna ley, porque el Espíritu Santo la hace innecesaria. Esta es la razón de que Jesús dijera que toda la ley y los profetas se resumen en una palabra: amor.

Pablo explicaba: "Porque: No adulterarás, no matarás, no hurtarás, no dirás falso testimonio, no codiciarás, y cualquier otro mandamiento, en esta sentencia se resume: Amarás a tu prójimo como a ti mismo. El amor no hace mal al prójimo; así que el cumplimiento de la ley es el amor" (Romanos 13: 9, 10).

El fruto del Espíritu nos mueve a hacer aquello que la ley pretendía que hiciésemos, y muchísimas cosas más. De manera que la ley es innecesaria.

Se nos da un nuevo corazón para vivir en santidad, y con objeto de que produzcamos todo el fruto del Espíritu. También tenemos el perdón que proporciona la sangre de Jesús, para que guardemos la salvación que nos ha sido dada en Jesucristo.

¿Ha ido usted alguna vez al circo o visto uno en la televisión? Una de las actuaciones más espectaculares es la del trapecio. Resulta imponente contemplar a los artistas ir y venir de una barra a otra a tal altura en el techo de la carpa. Se tiran a una persona de acá para allá, y nosotros pensamos: "¿Qué sucederá si se caen?"

En cierta ocasión pregunté a un trapecista: —¿Cómo pueden actuar de un modo tan perfecto sin caerse nunca?

—Sí que nos caemos —me contestó el artista—; casi en cada actuación.

—Pero yo jamás lo he visto.

—Seguro que sí, lo que pasa es que no lo ha notado porque aprendemos a caer y a recuperarnos. Cuando sucede volvemos a saltar enseguida y la gente piensa que forma parte del número.

Dios nos ha dado un nuevo corazón, y el Espíritu Santo, para que podamos vivir en el Espíritu —como un trapecista en la barra—. Deberíamos ser una exhibición para todo el mundo; especialmente para nuestros vecinos, a fin de que dijeran de nosotros: "Mira esa gente. Fíjate cómo se aman unos a otros. Nunca critican a nadie. Aman a sus enemigos. Son los mejores vecinos. Nadie tiene queja de ellos. Su trabajo en la fábrica es superior al de los otros. Son las secretarias más fieles, y los mejores abogados. Observa lo amorosas que son las mujeres y la obediencia de sus hijos".

Naturalmente, todavía no somos perfectos; pero cuando vivimos en el Espíritu podemos recuperarnos rápidamente, porque lo que la gente ve es la vida de Jesús, y no a nosotros.

Si resbalamos y caemos, tenemos una red debajo: la sangre de nuestro Señor Jesucristo ha provisto perdón para todos nuestros fallos. Aunque caigamos mil veces, él nos empujará de nuevo hacia arriba, siempre que nuestro deseo sincero sea estar allí.

Ahora bien, si usted cae y luego se duerme en la red, dudo que vaya a durar mucho tiempo en el circo —será un artista poco rentable.

No obstante, si desea de veras vivir en santidad —vivir (aun caer y recuperarse) en el trapecio—, debe saber que debajo hay una red. Los trapecistas pueden estar relajados a causa de ella; de no haberla se sentirían tensos y asustados, lo cual haría más probable la caída.

Los que tienen miedo de caerse descubren que caen continuamente; y aquellos que se esfuerzan más por vivir en santidad, encuentran que resulta difícil hacerlo.

¡Pero los que no luchamos por vivir santamente, estamos tan relajados que llevamos una vida santa! Porque la santidad no es algo que viene de nuestros propios esfuerzos, sino un don de Dios: el Espíritu Santo en nosotros hace la obra de Jesús.

¡Gloria al Señor por su amor maravilloso! El nos perdonó todas nuestras transgresiones; proveyó para nosotros una red, a fin de que pudiésemos relajarnos; y nos dice que debemos amarnos unos a otros como él nos ha amado.

¿Estamos dispuestos a hacerlo, o intentamos quitarle la red de debajo al hermano? Si cae, le decimos: "Adiós, fulano", ¡y le rechazamos para siempre!

¿Por qué resulta imposible para uno que está verdaderamente en Cristo seguir llevando una vida de pecado? Sencillamente, porque Jesús trató con nuestro problema en su raíz; y esa raíz somos usted y yo. Cuando Jesús murió en la cruz, nosotros también morimos con él; ¡no fueron únicamente nuestros pecados los que fueron clavados a la misma, sino nosotros!

Ahora bien, puesto que Cristo había tratado con nuestro problema, pudo hacer algo más; así el libro de Colosenses sigue diciendo que él anuló "el acta de los decretos que había contra nosotros, que nos era contraria, quitándola de en medio y clavándola en la cruz".

En el cielo hay un archivo por cada individuo que ha vivido sobre la tierra. No sabemos cómo lleva el Señor su contabilidad; pero en los días en que se escribió la Biblia, se hablaba de que Dios guardaba libros de cuentas.

En la primera página de mi expediente, dice: "Juan Carlos Ortiz. . . 6.276 pelos en la cabeza, etc." —todos los detalles, para que no haya duda de quién se trata—. En la segunda se encuentran escritas todas las leyes de Dios —particularmente los Diez Mandamientos—. A continuación se proveen otras páginas para inscribir en ellas todas las veces que transgredí cada mandamiento. ¡Tengo una documentación bien abultada!

· Y en la última página está el certificado de deuda, que dice: "Puesto que Juan Carlos Ortiz ha violado el primer mandamiento 8.322 veces, el segundo 5.456, el tercero. . . el cuarto. . . Juan Carlos Ortiz va directamente al infierno".

Pero ya que yo morí con Jesús, él sacó mi expediente, tomo un gran sello de goma, lo humedeció en su sangre, y estampó: "Cancelado" en cada una de las páginas del mismo. A continuación quitó de en medio aquel expediente porque no quería basura en el cielo. Para que nadie más pudiera nunca verlo, el lugar más seguro que encontró fue clavarlo en la cruz. ¡Si alguien quiere examinar el expediente de Juan Carlos Ortiz, tiene que pasar por encima del cadáver de Jesús!

De manera que ahora, Dios va a los archivos del cielo y dice: "Déjame ver el expediente de Juan Carlos Ortiz. ¡Caramba, ni siquiera está aquí!. . . No hay nada en absoluto contra él. ¡Qué buen siervo tengo!"

¡Gloria al Señor! Así es como nos ama a usted y a mí. Ahora tenemos perfecta paz con Dios; pero aunque cantamos esas cosas que se encuentran en nuestros himnarios, y predicamos acerca de ellas desde el púlpito, muchos de nosotros no las vivimos como si fueran realidad. Entonamos: ". . . mis culpas él perdonó", ¡pero vivimos como si aún tuviésemos esa deuda! No creemos que somos aceptados completamente.

Hay gente que me viene a mí y dice:

—Pastor Ortiz, ¿podría usted orar por mi esposo?

—¿Por qué no ora usted? —pregunto.

—Oh, no, el Señor le escucha mejor a usted; lleva una vida tan piadosa. . . . ¿Qué quiere dar a entender una persona cuando le dice a su pastor que el Señor le oye mejor a él? Que tal vez ella no es aceptada. La causa de esto es que ponemos nuestra confianza en la manera de comportarnos, en nuestra actuación.

Satanás sabe con qué facilidad nos sentimos culpables; así que siempre está listo para hacer que miremos a nuestras obras. Pero si el Señor hubiera de juzgarnos por nuestra actuación, todos seríamos condenados. El nos acepta gracias a la sangre de Jesús.

Para engañarnos, Satanás, antes de que Jesús asaltara los archivos del cielo, hizo fotocopias de los mismos. Desde luego, dichas fotocopias no tienen validez, pero él las utiliza para confundirnos.

A mí ya no me engaña; pero tenga cuidado, porque a mucha gente sí. El diablo toma mi expediente y se lo enseña a usted; y luego toma el suyo y me lo muestra a mí, intentando que nos juzguemos el uno al otro.

Satanás es muy listo: trató incluso de hacer que Jesús dudara. "Si eres Hijo de Dios. . ." —dijo una y otra vez.

El intenta sembrar, en lo más recóndito de nuestra mente, una pequeña duda de que tal vez Dios no nos acepta como hemos oído predicar.

Cuando me acepté a mí mismo, perdonándome todos mis pecados al igual que Dios había hecho, el Señor me mostró que también debía aceptar a mis hermanos y hermanas como son: y perdonarles todos sus pecados. Estaba aprendiendo el significado de las palabras de Jesús: "Perdónanos nuestras deudas, como también nosotros perdonamos a nuestros deudores".

En cierta ocasión, alguien preguntó a Jesús: "Señor, ¿cuántas veces perdonaré a mi hermano que peque contra mí?"

Su respuesta fue setenta veces siete, que son 490. En un día corriente, desde el amanecer hasta la puesta del sol, eso supone una vez cada minuto y medio —¡un trabajo a pleno tiempo!—; y algunos estudiantes afirman que Jesús quería decir siete elevado a la septuagésima potencia: ¡lo cual es dos números seguidos de 54 ceros! Si usted perdonara una vez cada segundo, necesitaría vivir millones de años para terminar. Ya ve lo grande que es el "todos" de Dios.

Por lo tanto, yo he de aceptar a mi hermana, no a causa de su comportamiento, ni de su doctrina, sino debido a la sangre de Jesús; y la acepto al perdonarle todos sus pecados.

¿Entiende usted cómo la unidad ha sido garantizada por la cruz?

En la cruz Jesús canceló la deuda de cada uno; de modo que cuando acusamos a nuestro hermano o hermana, estamos inculpando a alguien cuya deuda ha sido ya anulada. Perdemos el tiempo criticando a los demás. Los que somos creyentes de verdad vamos a estar todos juntos en el cielo gracias a Jesús; así que mejor sería que empezáramos a aceptarnos ahora unos a otros tal como somos.

La noche que me perdoné todos mis pecados a mí mismo, y me acepté como era, dormí profundamente; y al despertarme por la mañana, el Señor me explicó que tenía que aceptar a los demás sobre la misma base que él me había aceptado y que yo me había aceptado a mí mismo.

De manera que a la primera persona a la cual acepté como es, fue a mi esposa.

Cuando usted se enamora, quiere casarse para estar con su amada, que es la persona más maravillosa del mundo; de manera que contraen matrimonio y se van de luna de miel.

Pero una vez que han vuelto del viaje de novios, piensa para sí: "Bueno, ella cambiará; tan sólo acabamos de casarnos". Y mientras usted dice eso, su esposa murmura: "Espero que cambie".

Sin embargo, cuando usted rebasa los cuarenta, ella exclama: "¡No cambiará!" En tanto que usted se da cuenta de que si ella no ha cambiado todavía, tampoco lo hará. Esa es la razón de que deben aprender a aceptarse el uno al otro como son.

Pero no sólo somos uno en el matrimonio; también como creyentes formamos una sola Iglesia. Somos uno colectivamente; y nuestra unidad se basa en el perdón garantizado de todos nuestros pecados. No es de extrañar que Pablo dijera: "¿Quién nos separará del amor de Cristo?" ¿Quién acusará a los escogidos de Dios? ¿Quién nos condenará? ¡Qué certeza tan tremenda!... "¡Grata certeza!"

Desde que comprendí esto, empecé a cantar a algunas de las letras de nuestros himnos en una forma nueva. Yo solía decir: "Oh gracia admirable, dulce es, que a mí pecador salvó...". Pero ahora he aprendido a cantar: "Oh gracia admirable, dulce es, que a *él* pecador salvó. . . la gracia le libró de perdición, y le llevará al hogar".

También entonaba: "Tal como soy, sin una sola excusa. . .".

Así que me gustaría darle una tarea. Se podría hacer esto con muchos pasajes, pero empiece con Efesios, capítulo 1.

Siempre que leemos este pasaje, cada uno piensa que se aplica a él mismo; pero quisiera que hiciese como si fuera para otro. Creo que esto le introducirá a una nueva dimensión en sus relaciones con otros cristianos, del mismo modo que sucedió conmigo.

Deseo que, empezando con el versículo 3, lea el pasaje poniendo en el mismo el nombre específico de otra persona allí donde dice "nosotros". Así es como quedaría si lo hiciese colocando el mío:

"Bendito sea el Dios y Padre de nuestro Señor Jesucristo, que bendijo a Juan Carlos Ortiz con toda bendición espiritual en los lugares celestiales en Cristo, según le escogió en él antes de la fundación del mundo, para que fuese santo y sin mancha delante de él, en amor, habiéndole predestinado para ser adoptado hijo suyo por medio de Jesucristo, según el puro afecto de su voluntad, para alabanza de la gloria de su gracia, con la cual hizo acepto a Juan Carlos en el Amado, en quien tiene redención por su sangre, el perdón de pecados según las riquezas de su gracia, que hizo sobreabundar para con él. . .".

Si le está costando aceptar a alguien, lea el capítulo entero poniendo el nombre de la persona en cuestión. ¿Se daba usted cuenta de que se trataba de un individuo tan importante? Al substituir "nosotros" por el nombre de otra gente que no nos cae demasiado bien, nos enamoraremos de muchas personalidades tremendas.

No le estoy diciendo algo que creo que estaría bien hacer; sino una cosa que llegó a ser para mí experiencia de la vida real. Esto se ha hecho parte de mi persona. Yo lo hice, y ahora me resulta fácil aceptar a la gente como es; aunque parezca imposible de apreciar.

En cierta ocasión me encontré con un individuo a quien dije:

—¡Hermano, cuánto me agrada verle! ¡Gloria al Señor!

—Quítese de en medio —me contestó—; no me gusta usted.

—Muy bien, pero le amo.

—Usted no puede amarme —siguió diciendo— porque soy su enemigo.

—Aleluya, Señor —expresé—, gracias que tengo un enemigo a quien abrazar justo delante de mí.

Nunca se equivocará amando.

Por eso dijo Jesús que debemos amar incluso a nuestros enemigos. No hemos de querer a alguien porque es una persona agradable; nuestro amor debe ser aun para los antipáticos. Tenemos que amar como Dios nos amó. A aquellos que son retraídos, vergonzosos, acomplejados; a los que nos gustaría evitar. . . ¡Esa es la gente a la que Dios ama!

¿Por qué no los queremos nosotros? Porque con demasiada frecuencia amamos con el mismo amor que el mundo; y Jesús dijo que si amamos sólo a aquellos que nos aman, no somos mejores que los incrédulos, ya que también éstos lo hacen. Nosotros tenemos que amar como él nos ha amado; sencillamente porque él es amor y mora dentro de nosotros para amar por medio de nuestras personas.

Una vez que haya comprendido la profundidad del amor de Dios por usted, podrá amarse y aceptarse a sí mismo; y cuando lo haga, será capaz de amar a otros. No tendrá que luchar para ello; sino que le saldrá fácilmente. Ya que Jesús, que es amor, vive en usted, no podrá refrenarse de amar.

No es extraño que Dios nos diera un mandamiento de amar como él nos ha amado; puesto que Jesús vive en nosotros para ser ese amor a través de nosotros.

¡Gloria a Dios por su amor sin límites!